nuevas narraciones españolas 3

JUAN D. LUQUE DURÁN
LUCÍA LUQUE NADAL

nuevas narraciones españolas 3

NIVEL AVANZADO

SGEL

SOCIEDAD GENERAL ESPAÑOLA DE LIBRERÍA, S. A.

Primera edición, 2001
Cuarta edición, 2010

Produce: SGEL - Educación
            Avda. Valdelaparra, 29
            28108 ALCOBENDAS (Madrid)

ISBN: 978-84-7143-900-0
Depósito Legal: M. 36.009-2010
Printed in Spain - Impreso en España

Ilustraciones: Víctor Moreno López
Cubierta: Carla Esteban

Composición e impresión: Nueva Imprenta, S. A.

CONTENIDO

PRESENTACIÓN

Aprender y enseñar una lengua no ha de ser necesariamente una tarea aburrida y fatigosa. Una manera amable de crear interés por la lengua española en el estudiante es ofrecerle textos fáciles que le permitan introducirse gradualmente en el español para ir adquiriendo de forma progresiva un mejor dominio de este idioma. Esta manera fácil de aprender español exige, pues, la utilización de textos graduales en complejidad léxica y gramatical, que además posean un contenido humorístico que motive al lector a leerlos hasta el final.

En las *Nuevas Narraciones Españolas* se reproduce el habla coloquial y diaria de los españoles y se presentan numerosas situaciones que ilustran distintos aspectos del carácter español y de la vida en España. La mayoría de las narraciones cuentan las aventuras de Tobías, peculiar personaje que, junto a su familia y amigos, nos introduce en la vida cotidiana de un pueblo típico español, con sus gentes y sus costumbres.

Estas *Nuevas Narraciones Españolas* se estructuran en cuatro niveles: Nivel elemental; Nivel medio; Nivel avanzado y Nivel superior. Lo que caracteriza a cada nivel sucesivo no es sólo la limitación del vocabulario, sino también la simplicidad gramatical y estructural de las historias. Dichas historias contienen numerosos ejemplos de las estructuras sintácticas y la morfología gramatical más frecuente en español. Se ha prestado un especial interés en repetir las palabras y estructuras que aparecen con mayor frecuencia en la lengua española. Las expresiones idiomáticas y coloquiales que aparecen se explican al final del texto.

Cada uno de los libros contiene 50 historias, de extensión variable según el grado de dificultad, que van acompañadas de ejercicios de explotación del texto. Así mismo, existe al final de cada libro un glosario de todas las palabras con su correspondiente traducción al inglés.

LOS AUTORES

LA MÁQUINA QUE ADIVINA EL PORVENIR

Tobías ha ido a trabajar a Barcelona. Allí queda maravillado por lo avanzados que son los catalanes y lo moderna y eficiente que es Cataluña. Todo funciona **a la perfección** y hay muchas oportunidades para todo el mundo.

Un día, esperando un tren en la estación de Mataró, ve una máquina automática con un cartel que dice:

> SU NOMBRE, PESO Y DESTINO POR 100 PESETAS

A Tobías le entra la curiosidad y decide echar las cien pesetas. Al momento, sale de la máquina una tarjeta en la que se lee: *Usted se llama Tobías y su peso es de 85 kilos. Usted viaja a Barcelona.*

Tobías piensa: *Esto es imposible, debe de tratarse de una simple **casualidad**. Voy a probar de nuevo.* **Inserta** otras cien pesetas y de nuevo recibe una tarjeta con el mismo texto.

Como es **desconfiado,** Tobías piensa que quizá estén gastándole una broma. Para asegurarse de que no es así, convence a un hombre que está cerca de él para que pruebe la máquina que adivina el porvenir. El hombre accede e introduce una moneda de cien pesetas. En esta ocasión, de la máquina sale una tarjeta en la que se lee: *Usted se llama Toribio, su peso es de 92 kilos. Usted viaja a Valencia.*

El hombre **admite** que todos estos datos son correctos y Tobías, encantado, decide probar de nuevo con la máquina, e inserta otras cien pesetas. Esta vez el mensaje escrito en la tarjeta es el siguiente: *Tobías, eres un imbécil, tu tren ha salido hace cinco minutos.*

1. Expresiones y léxico

a la perfección: muy bien, sin ningún fallo.
casualidad: azar.
insertar: introducir, meter algo dentro de otra cosa.
desconfiado: que no se fía fácilmente.
admitir: reconocer, aceptar que algo es verdad.

2. Actividades de comprensión

— ¿Adónde ha ido Tobías a trabajar?
— ¿Por qué se queda maravillado al llegar a Cataluña?
— ¿Dónde esta la máquina automática?
— ¿Qué dice el cartel que tiene la máquina?
— ¿Qué hace Tobías?
— ¿Qué hace la máquina después de que Tobías se suba en ella?
— ¿Por qué decide probar la máquina otra vez?
— ¿Qué le dice al hombre que está cerca de él?
— ¿Qué mensaje emite la máquina la última vez que Tobías se sube en ella?

3. Temas para debate

— La cibernética y los robots.

2 EXTRATERRESTRES

En Villarriba, el pueblo de Tobías, y en sus alrededores, había una histeria colectiva. Todo el mundo decía haber visto **platillos volantes** y objetos extraños en el cielo. Cualquier luz en el cielo era considerada un **OVNI**.

Los periodistas de la capital habían venido a entrevistar a algunas personas que contaban cómo, yendo por una carretera de noche, los extraterrestres se habían adueñado de su coche y los habían llevado a su **nave espacial**.

Una noche iba Tobías conduciendo por una carretera oscura y solitaria, cuando **justo** al final de una cuesta muy **inclinada**, de repente se le paró el coche. Tras intentar **arrancar** en vano, decidió que lo único que

podía hacer era caminar hasta la gasolinera o la casa más próxima y pedir allí ayuda o llamar por teléfono.

Era ya de noche y Tobías estaba muy cansado y medio dormido. Pero antes de empezar a andar vio que un coche subía muy lenta y silenciosamente por la carretera. Tobías le hizo señales para que parase, se acercó a la ventanilla y dijo:

—¿Me puede llevar, por favor? Se me ha estropeado el coche y estoy muy cansado.

Pero nadie le contestó. Tan cansado estaba que, **sin pensarlo dos veces**, se montó en el coche. Su sorpresa fue grande cuando, una vez dentro, vio que en el coche no había nadie. Se asustó tanto, que **se le puso la carne de gallina**. Rápidamente saltó del coche y en ese momento vio a otro hombre que se disponía a subir a él.

—¡Yo que usted no lo haría! ¡Corra, corra, rápido; **huyamos** de aquí, que los extraterrestres han tomado el control del coche! ¡Se mueve solo!

—¿Solo? —contestó, enfadado, el otro hombre—. Soy yo el que lleva media hora empujándolo para subir esta maldita **cuesta**.

1. Expresiones y léxico

platillo volante: nave de extraterrestres.
OVNI: objeto volador no identificado (UFO).
nave espacial: vehículo volante que viaja por el espacio.
justo: exactamente, precisamente.
inclinado: con una subida muy fuerte.
arrancar: poner en movimiento cualquier vehículo.
sin pensarlo dos veces: sin pararse a reflexionar.
ponerse la carne de gallina: expresión coloquial usada para explicar el efecto que sufre la piel por el miedo o por el frío.
huyamos: modo imperativo, primera persona, plural, del verbo
huir.
cuesta: camino inclinado, en este caso, hacia arriba.

2. Actividades de comprensión

— ¿Qué había en Villarriba y en toda la zona?
— ¿Qué decía todo el mundo?

— ¿Por dónde iba conduciendo Tobías?
— ¿Dónde se le paró el coche?
— ¿Qué decidió hacer al ver que el coche no arrancaba?
— ¿Cómo estaba Tobías?
— ¿Qué vio antes de empezar a andar?
— ¿Qué preguntó al acercarse a la ventanilla?
— ¿Qué hizo Tobías sin pensárselo dos veces?
— ¿Qué vio dentro del coche?
— ¿Qué hizo entonces, asustado?
— ¿Qué le dijo Tobías al hombre que iba a subirse al coche?
— ¿Qué le contestó, enfadado, el hombre?

3. Temas para debate

— Platillos volantes, OVNIS, abducciones…, ¿realidad o fantasía?

3 UN HERRERO ESCONDE A NAPOLEÓN

El gran ejército francés que había ocupado casi toda España estaba de retirada. Un día, cuando los soldados españoles e ingleses le estaban **pisando los talones**, Napoleón buscó **refugio** en el **carromato** de un pobre herrero. Con un tono **altivo** Napoleón le dijo:

—Los soldados enemigos me persiguen. Escóndeme, porque si no, me matarán.

El herrero escondió a Napoleón debajo de su cama y lo cubrió con mantas y **cojines**. Cuando llegaron los soldados españoles, buscaron por todo el carromato, pero no encontraron a nadie.

A las pocas horas, los soldados españoles desaparecieron, porque las tropas francesas contraatacaban. Napoleón salió de debajo de la cama. Cuando se tranquilizó, agradeció al herrero el haberle salvado la vida y, como **recompensa**, le concedió tres deseos.

El hombre, después de **meditar**, dijo:

—Mi primer deseo es que **su excelencia** me dé dinero suficiente para arreglar el techo de mi carromato, porque cuando llueve, penetra el agua.

—Deseo **concedido** —dijo Napoleón.

—Mi segundo deseo es que expulse de aquí a otro herrero que se ha establecido cerca de mí y me hace una competencia **feroz**.

—De acuerdo —dijo Napoleón. Concedido también.

—Y mi tercer deseo es saber qué sintió su excelencia cuando los soldados españoles **pinchaban** con sus **bayonetas** el colchón que tenía encima.

—¿Cómo te atreves a hacerme **semejante** pregunta? ¡Es una **insolencia**! Serás **ajusticiado**.

Cuando aparecieron los soldados franceses, Napoleón mandó **encarcelar** al herrero. Al día siguiente le comunicaron que sería **fusilado**.

Tras pasar toda la noche encarcelado, los soldados del **pelotón de fusilamiento** encargados de la ejecución trasladaron al herrero a un campo abierto y lo ataron a un árbol. Después, el oficial del comando comenzó a contar: *uno, dos…* De repente, antes de que el oficial pronunciase la palabra *fuego*, se oyó un grito: era un ayudante de Napoleón, que traía la orden de perdonar la vida al condenado.

Además, le traía una carta de Napoleón. Una vez que el herrero se hubo tranquilizado, el ayudante le leyó el siguiente mensaje: *Tú querías saber qué sentí cuando me escondí debajo de tu cama. Ahora ya lo sabes.*

1. Expresiones y léxico

herrero: persona que fabrica objetos de hierro (espadas, herraduras…).

pisar los talones: ir detrás de alguien, a muy poca distancia de él.

refugio: lugar en el que una persona se esconde.

carromato: carro grande arrastrado por un caballo y que suele tener un toldo de lienzo y cañas.

altivo: orgulloso, soberbio.

cojín: almohadón que sirve para sentarse, arrodillarse o apoyar sobre él alguna parte del cuerpo.

recompensa: dinero que sirve para premiar un favor o un mérito.

meditar: pensar algo durante largo tiempo.

su excelencia: tratamiento que se da a ciertas personas de mucha categoría.

conceder: dar, otorgar.

feroz: cruel.

pinchar: clavar algo agudo o punzante, como una espina o un alfiler.

bayoneta: especie de cuchillo que usan los soldados colocado en el extremo del fusil.

semejante: tal, esa.

insolencia: descaro, desvergüenza, falta de respeto.

ajusticiar: matar a un condenado.

encarcelar: meter en la cárcel.

fusilar: matar a una persona con disparos de fusil.

pelotón de fusilamiento: conjunto de soldados que disparan al condenado.

2. Actividades de comprensión

— ¿Quién estaba persiguiendo a Napoleón?
— ¿Dónde decidió él esconderse?
— ¿En dónde ocultó el herrero a Napoleón?
— ¿Cómo estaba Napoleón después de irse los soldados?
— ¿Qué le concedió Napoleón al herrero como agradecimiento por salvarle la vida?
— ¿Cuál era el deseo que enfadó a Napoleón?
— ¿Qué hizo Napoleón entonces?
— ¿Adónde llevaron al herrero para ejecutarlo?
— ¿Qué pasó cuando estaban a punto de disparar?
— ¿Qué traía el ayudante?
— ¿Qué decía la carta de Napoleón?

3. Temas para debate

— La pena de muerte.
— Sistemas de ejecución: horca, fusilamiento, guillotina…

4 UNA PARROQUIA POCO RECOMENDABLE

Don Cosme, el párroco de Villarriba, recibió un sábado la visita de un extranjero que le dijo:

—Señor cura, he venido a este pueblo con **intención** de quedarme a vivir aquí y montar un negocio. Precisamente el lunes voy a **cerrar un trato** sobre un terreno que voy a comprar y tengo conmigo mucho dinero, un millón de pesetas. Como mañana es domingo, quisiera pedirle a usted que me guardara este dinero hasta el lunes. ¿Me podría hacer este favor?

—Por supuesto —dijo el cura—. Llamaré como **testigos** a los miembros de la **junta directiva** de la Asociación de Buenos Cristianos, un grupo de vecinos del pueblo que se preocupan por la **moralidad** y las buenas costumbres. Contaremos el dinero juntos y el lunes puede recogerlo.

Así se hizo. Los testigos contaron el dinero y el cura lo guardó.

El lunes apareció el **forastero** para recoger su dinero.

—¿Dinero? —dijo el cura—, ¿qué dinero?

—Pero, señor cura, yo le **confié** anteayer un millón de pesetas en presencia de testigos. Usted mismo llamó a los miembros de la junta directiva de la Asociación de Buenos Cristianos ¿No lo recuerda?

—Es la primera vez que lo oigo —contestó el cura—. Pero vamos a comprobarlo ahora mismo.

Don Cosme mandó llamar a todos los miembros de la junta directiva y les preguntó:

—¿Sabéis vosotros algo de una cantidad de dinero que este hombre dice que me confió anteayer?

—¿Nosotros? ¿Dinero? Es la primera vez que lo oímos.

—Bien, hermanos, podéis iros.

El forastero corría de un lado a otro de la habitación y se tiraba de los pelos **desesperado**. Mientras tanto, el cura se acercó a la caja fuerte, sacó el **fajo** de billetes y dijo:

—Aquí tiene usted su dinero.

—Pero, señor cura, ¿a qué ha venido este teatro?

—Yo sólo quería enseñarle con qué **gentuza** tengo que trabajar y a qué pueblo ha venido a hacer negocios.

1. Expresiones y léxico

intención: voluntad de hacer algo.

cerrar un trato: llegar a un acuerdo, firmar un contrato.

testigo: persona que presencia algo y puede asegurar que ha ocurrido.

junta directiva: conjunto de personas que dirigen y coordinan un organismo.

moralidad: ética, decencia y honradez.

forastero: extraño, extranjero.

confiar: creer en la honradez de alguien.

desesperado: que ha perdido totalmente la esperanza de que algo suceda.

fajo: montón de billetes atados con una cuerda o con una cinta.

gentuza: gente de malas costumbres o acciones.

2. Actividades de comprensión

— ¿Quién visitó al cura de Villarriba?
— ¿Cuando apareció el extraño ante don Cosme?
— ¿Qué le pidió el forastero al cura?
— ¿Qué le contestó el párroco?
— ¿A quién llamó don Cosme para contar el dinero?
— ¿Qué hizo con el dinero después de contarlo?
— ¿Qué pasó cuando el forastero volvió a recoger su dinero?
— ¿A quién preguntó el cura acerca del dinero?
— ¿Qué hizo don Cosme después de irse los miembros de la junta?
— ¿Qué preguntó el extranjero al párroco?
— ¿Por qué había actuado don Cosme de ese modo?

3. Temas para debate

— La honradez en los negocios.

5 JUAN SÁNCHEZ

Los curas católicos son contrarios al divorcio, **ya que** piensan que el matrimonio cristiano **ha de** durar toda la vida. La Iglesia católica, sin embargo, admite, en ciertos casos, como **mal menor**, la separación de los casados, aunque no permite que vuelvan a casarse por la Iglesia.

Un día, un vecino de Villarriba, llamado Juan Sánchez, fue a confesarle al nuevo cura, don Matías, que deseaba separarse de su mujer. Don Matías, recién llegado al pueblo, era un hombre **dialogante,** que prefería arreglar los asuntos por el **convencimiento** y no por la **imposición**. Al oír las palabras de Juan, le preguntó cuáles eran los motivos por los que quería separarse de su mujer. Juan contestó:

—Es que mi mujer ya no me gusta.

—Bueno, acepto **facilitarte** la separación, pero antes tendrás que superar una prueba que te voy a poner. Tendrás que hacer lo que te **indique,** sin **protestar** ni hacer preguntas. ¿Estás de acuerdo?

—Sí.

—Entonces, vuelve dentro de media hora.

Cuando se marchó Juan Sánchez, el cura encargó algo al **sacristán.** Éste volvió a los veinte minutos y le hizo una señal. Cuando llegó Juan Sánchez, don Matías lo introdujo en una habitación completamente oscura y cerró la puerta con llave.

Al cabo de una hora, el cura abrió la puerta y dijo a Juan que podía salir cuando quisiera. Éste salió al rato, con una cara de felicidad enorme. Don Matías, entonces, le preguntó:

—¿Qué me dices?, ¿te gustaría volver a estar con la mujer con la que has estado?

—Por supuesto, señor cura, ¡ha sido magnífico!

—¡Pero serás tonto…!, ¡la mujer con la que has estado es la tuya!

—No, señor cura, no. La mujer con la que he estado es la de Juan Sánchez, el de la zapatería. Yo soy Juan Sánchez, el de la tienda de muebles.

1. Expresiones y léxico

[nota manuscrita: infiel, volver a, terminar, dejar de, acabar de]

ya que: porque, dado que.

haber de: perífrasis verbal que indica obligación, equivale a *tener que* o a *deber.*

mal menor: entre dos cosas malas, la que produce menos daños.

dialogante: que está dispuesto a discutir los problemas y sus soluciones.

convencimiento: cambio de la opinión de una persona por medio de razones.

imposición: establecimiento autoritario de una norma.

facilitar: ayudar a hacer algo más fácil.

indicar: señalar, explicar.

protestar: expresar el desacuerdo o la disconformidad.

sacristán: en una parroquia, ayudante del cura.

2. Actividades de comprensión

— ¿Por qué están los curas en contra del divorcio?
— ¿Qué confesó el señor Sánchez al nuevo cura?
— ¿Cómo era don Matías?
— ¿Cómo trataba de resolver las cosas?
— ¿Qué le preguntó don Matías a Juan Sánchez?
— ¿Qué tenía que hacer Juan antes de que el cura le facilitase la separación?
— ¿Cuándo debía volver Juan Sánchez a la iglesia?
— ¿Qué hizo don Matías una vez que Juan se había marchado?
— ¿Qué hizo el sacristán cuando llegó Juan Sánchez?
— ¿Qué le preguntó don Matías cuando salió de la habitación?
— ¿Qué contestó Juan?
— ¿De quién era la mujer con la que había estado?

3. Temas para debate

— Matrimonio y divorcio. Causas de separación.

6 PELUQUEROS

En cierta ocasión, Tobías estaba de viaje de negocios en un pequeño pueblo con un amigo suyo. Por la mañana decidieron **adecentarse** antes de ir a ver a los clientes y preguntaron al encargado del hotel donde podrían encontrar una **peluquería**.

Éste los dirigió hacia la plaza mayor, donde se encontraban las dos únicas peluquerías del pueblo. Al llegar a la plaza, Tobías y su amigo vieron que las dos peluquerías estaban situadas una enfrente de la otra. En una de ellas había un hombre con la bata blanca de peluquero, muy mal afeitado y con el pelo mal recortado. En la otra, sin embargo, el peluquero estaba **impecablemente** afeitado y con el pelo bien cortado.

El amigo de Tobías no lo dudó ni un momento y se dirigió hacia la segunda peluquería.

—Vas a cometer un gran error —advirtió Tobías a su amigo—. Vente conmigo al otro peluquero.

El amigo no le hizo caso y cada uno se fue a un peluquero diferente. Pasada una media hora, los dos amigos salieron de las respectivas peluquerías. Pero mientras Tobías tenía el pelo bien cortado y la barba bien **rasurada**, su amigo tenía un aspecto **deplorable**.

—No lo entiendo —dijo el amigo.

—Está muy claro —le respondió Tobías—, y te lo hubiera explicado antes si me hubieras dado ocasión. Un peluquero no puede afeitarse ni cortarse el pelo a sí mismo; por lo tanto, está claro que se afeitan y se cortan el pelo el uno al otro. Por eso resultaba evidente que el peluquero **desaseado** era el bueno y que el que estaba perfectamente arreglado era profesionalmente un desastre.

1. Expresiones y léxico

adecentarse: arreglarse, ponerse limpio.
peluquería: lugar donde se corta el pelo y se afeita a los clientes.
impecablemente: perfecto, sin defectos.
rasurar: afeitar, cortar el pelo de la barba.
deplorable: malo, penoso, lamentable.
desaseado: falto de limpieza, desaliñado.

2. Actividades de comprensión

— ¿Dónde estaba Tobías?
— ¿Quién estaba con él?
— ¿Qué decidieron hacer por la mañana?
— ¿Cuántas peluquerías había en el pueblo?
— ¿Dónde estaban situadas?
— ¿Cómo eran los dos peluqueros?
— ¿A qué peluquería se dirigió el amigo de Tobías?
— ¿Qué le dijo éste?
— ¿Qué aspecto tenía Tobías después de su corte de pelo?
— ¿Por qué el amigo tenía un aspecto deplorable?

3. Temas para debate

— Coquetería masculina.

7 CORRIENDO DELANTE DE LA POLICÍA

Muchos **emigrantes** vienen a los países más ricos en busca de una vida mejor. En España, hay multitud de personas que vienen desde diversos países de África, Asia, América y Europa Oriental en busca de cualquier tipo de trabajo que les permita vivir.

Muchos emigrantes han entrado de manera ilegal y carecen de **papeles en regla**. En España, como en otros países, a los emigrantes se les concede **permiso de trabajo** cuando encuentran un trabajo estable, normalmente, en la agricultura o en la construcción.

Pero, a pesar de todo, muchos de ellos viven en las ciudades sin permiso alguno, ganándose la vida como vendedores **ambulantes**. Frecuentemente, ya que su situación es ilegal, son perseguidos por la policía.

En una calle madrileña conversaban dos emigrantes. Uno tenía un **permiso de residencia**, pero el otro, no. De pronto apareció un policía y se dirigió hacia ellos. El emigrante que tenía el permiso dijo a su compañero:

—Quédate aquí, yo huiré del policía.

El guardia comenzó entonces a correr detrás de él. Tras un par de minutos, el emigrante se cansó y se paró. El policía llegó hasta él.

—¿Qué, amigo?, parece que no tienes permiso de residencia, ¿no es así?

—¿Cómo que no? Claro que lo tengo, aquí está —dijo el emigrante mientras le mostraba sus documentos.

—Entonces, ¿por qué has echado a correr en cuanto me has visto?

—Eso no es correcto. Mire usted, señor policía, mi médico me ha dicho que corra **diariamente** diez minutos después de desayunar.

—Sí, sí, pero tú veías que yo iba corriendo detrás de ti.

—Sí, es verdad, pero es que yo pensé, que usted era también **paciente** del mismo médico.

1. Expresiones y léxico

emigrante: persona que se traslada a otro país, generalmente con el fin de trabajar en él de manera estable o temporal.

papeles en regla: documentación actualizada.

permiso de trabajo: documento oficial que el Estado otorga al emigrante y que le autoriza a trabajar en ese país.

ambulante: que va de un lugar a otro, sin tener un sitio fijo de trabajo.

permiso de residencia: documento que otorga el Estado al emigrante, y que le permite vivir en ese país.

diariamente: todos los días.

paciente: persona que visita a un médico.

2. Actividades de comprensión

— ¿Por qué viajan los emigrantes a los países ricos?

— ¿En qué casos se les conceden permisos de residencia?

— ¿En qué trabajan?
— ¿Dónde estaban conversando los dos emigrantes?
— ¿Tenían permiso de residencia?
— ¿Qué pasó cuando apareció el policía?
— ¿Qué hizo éste cuando el emigrante echó a correr?
— ¿Qué le dijo el policía al emigrante cuando lo alcanzó?
— ¿Tenía el emigrante el permiso de residencia?
— ¿Por qué se puso entonces a correr?
— ¿Qué excusa le puso al policía para justificar la carrera?

3. Temas para debate

— La emigración. Emigrantes e inmigrantes.

8 EL BILLETE DE TERCERA

Durante un viaje a Madrid en tren, Tobías iba fumando su **pipa** en un **departamento** de primera y de no fumadores.

En el departamento viajaban, además, una señora mayor y otro caballero. El señor comenzó a toser **disimuladamente** a causa del humo de la pipa, y la señora exigió a Tobías que dejara de fumar. Pero como Tobías continuaba fumando, la señora le dijo con voz seria y **amenazante**:

—Señor, como no deje de fumar inmediatamente, le **denunciaré** al revisor.

Tobías la miró tranquilamente y siguió fumando. Al verlo, la señora gritó, ahora ya enfurecida:

—¡Será usted maleducado...! ¿No le da vergüenza fumar delante de una señora en un departamento de no fumadores?

Al oír este insulto, Tobías se ofendió y dijo:

—Tal vez al revisor le interese saber que tiene usted un billete de tercera y que, sin embargo, va en primera. Le advierto que si se entera el jefe de estación, la expulsará y el tren seguirá sin usted.

Entonces la señora se enfureció más y exclamó:

—¡Qué horror, **injuriar** a una dama como yo, de ese modo! ¡Usted es un sinvergüenza!

Sin embargo, por muy enfadada que pareciera, la señora no llamó al revisor. El tren siguió su viaje y una hora más tarde, la viajera **se apeó** en una estación. El otro viajero aprovechó la ausencia de la dama para preguntarle a Tobías:

—¿Cómo sabía usted que la señora tenía un billete de tercera?

—Porque vi el color del billete y era igual que el mío, respondió Tobías.

1. Expresiones y léxico

pipa: utensilio par'a fumar, que consta de una cazoleta y un tubo.

departamento: sección de los coches del tren, donde se sientan los pasajeros.

disimuladamente: que actúa ocultando lo que de verdad siente o sospecha.

amenazante: que indica, con sus palabras o actitud, que va a hacer algún daño.

denunciar: dar aviso de que se está cometiendo una acción prohibida.

injuriar: insultar a una persona.

apearse: bajarse de un vehículo.

2. Actividades de comprensión

— ¿Dónde estaba Tobías?

— ¿Había más personas con él, en el departamento?

— ¿Qué estaba haciendo Tobías?

— ¿Por que tosió el otro viajero?

— ¿Qué le exigió la señora a Tobías?

— ¿Con qué le amenazó si no dejaba de fumar?

— ¿Por qué le insultó?

— ¿Qué le respondió entonces Tobías?

— ¿Cómo se dio cuenta de que la señora llevaba un billete de tercera?

— ¿Quién le preguntó a Tobías cómo se había dado cuenta de eso?

3. Temas para debate

— La persecución contra los fumadores.

9 UNA CABEZA DE MÁS

Tobías y su familia estaban de viaje por Córcega. En un pueblecito situado en la montaña, visitaron el pequeño museo local, dedicado a Napoleón Bonaparte. El **guía** iba mostrando, en cada una de las salas del museo, diversos objetos que habían pertenecido, según él, al emperador francés y a su familia, hasta que llegó a una **vitrina** en la que había dos **cráneos**, uno grande y otro pequeño.

—Éstas, señoras y señores —dijo el guía—, son las dos piezas más valiosas de todo el museo: a la izquierda tienen el cráneo de Napoleón a la edad de siete años y a la derecha, el cráneo de Napoleón con cincuenta y cuatro años.

Todos los turistas se acercaron muy interesados y apretaron sus narices contra los cristales de la vitrina. Todos, menos Tobías, que, muy seguro de sí mismo, dijo en voz alta:

—Esto es una **estafa**. Está claro que estos cráneos no pueden ser de Napoleón.

Todo el mundo **se echó a reír**. Severiana, la mujer de Tobías, se acercó a su marido y le dijo en voz baja.

—Qué listo eres; eres el único que se ha dado cuenta.

—Naturalmente —respondió en voz baja Tobías—, porque todos son unos **incultos**. Cualquier persona con cultura y que haya viajado un poco, sabe que Napoleón está enterrado en el Panteón de los Inválidos, en París. Y no creo yo que lo enterraran sin cabeza, ¿no?

1. Expresiones y léxico

guía: cicerone, persona que enseña y explica un monumento o un museo.

vitrina: armario o caja con puertas o tapas de cristal, para exponer objetos de arte, productos naturales o artículos de comercio.

cráneo: parte superior de la calavera, caja ósea en que está contenido el encéfalo.

estafa: acción de obtener dinero o cosas de valor con artificios y engaños.

echarse a reír: comenzar a reír.

inculto: persona ignorante y de pocos conocimientos.

2. Actividades de comprensión

— ¿Adónde fueron Tobías y su familia de vacaciones?
— ¿Dónde estaba situado el museo?
— ¿Qué iba mostrando el guía?
— ¿Qué había en la vitrina?
— ¿Qué dijo el guía sobre los dos cráneos?
— ¿Qué hicieron los turistas al oír al guía?
— ¿Qué dijo Tobías en voz alta?
— ¿Qué le dijo Severiana en voz baja?
— ¿Dónde está enterrado en realidad Napoleón?
— ¿Por qué no creía Tobías que las calaveras fuesen de Napoleón?

3. Temas para debate

— Negocios en torno al turismo.

10 NAPOLEÓN Y EL CORDERO ASADO

Cuando Napoleón invadió España en 1808, en su ejército había soldados de distintas **nacionalidades.** Tras su victoria, Napoleón visitó a sus **tropas** y preguntó a tres soldados que se habían distinguido en el combate qué deseaban como **recompensa** a su valor.

El soldado polaco contestó:

—**Sire**, yo quisiera que su excelencia **restableciera** la **independencia** de mi patria.

El Emperador **asintió**.

—Cuenta con ello.

El francés dijo:

—La revolución destruyó mi casa y mi molino. Yo desearía que su excelencia me **proporcionara** los medios necesarios para la reconstrucción.

Napoleón le dijo:

—Los recibirás.

El gitano pidió:

—Yo quiero tener mañana, en el **almuerzo,** un cordero asado, todo entero para mí, para quitarme el hambre que tengo desde que nací.

Napoleón ordenó a su ayudante que cumpliera el deseo del gitano.

Después de que el emperador hubo dejado las tropas, los demás soldados **ridiculizaron** al gitano.

—¿Por qué has pedido sólo un cordero asado?

—El polaco ha pedido la independencia para su país. Pero, ¿de verdad os creéis que el emperador se la va a dar? El francés ha pedido dinero para la reconstrucción de su casa y de su molino. ¿Creéis que lo recibirá? Pero mi cordero asado os aseguro que sí lo tendré mañana.

1. Expresiones y léxico

nacionalidad: pertenencia a un país.

tropa: conjunto de soldados que componen un ejército.

recompensa: premio, gratificación.

Sire: tratamiento que se daba a Napoleón.

restablecer: volver a dar a algo su situación inicial.

independencia: libertad, autonomía de un Estado que no depende de otro.

asentir: decir que sí, estar de acuerdo

proporcionar: suministrar, entregar algo a alguien.

almuerzo: comida que se toma por la mañana o al mediodía.

ridiculizar: burlarse, reírse de algo o de alguien.

2. Actividades de comprensión

— ¿Cuándo visitó Napoleón a sus tropas?

— ¿Qué dijo a los soldados?

— ¿Qué pidió el soldado polaco?

— ¿Qué le contestó Napoleón?
— ¿Qué pidió el soldado francés?
— ¿Qué le contestó Napoleón?
— ¿Qué pidió el soldado gitano?
— ¿Qué le contestó Napoleón al soldado gitano?
— ¿Por qué se rieron los demás soldado del soldado gitano?
— ¿Qué contestó el gitano?
— ¿Cumpliría Napoleón los deseos del polaco y del soldado francés?

3. Temas para debate

— Tópicos sobre características nacionales o raciales.

11 LA MEJOR CÁMARA FOTOGRÁFICA

Tobías y su mujer, Severiana, iban por Suiza en autobús, en viaje de turismo, junto a un grupo numeroso de personas.

Los turistas **se extasiaban** al ver los maravillosos paisajes de los Alpes y no **cesaban** de hacer fotografías. Tobías era el único que se limitaba a disfrutar del paisaje y no llevaba cámara de fotos.

Los otros viajeros, extrañados de esto, le preguntaron que si no tenía una cámara fotográfica. Tobías les respondió:

—Tengo la cámara fotográfica más extraordinaria del mundo: tiene una **abertura** máxima de f/2; **enfoca** automáticamente en medio segundo; ajusta el **diafragma** en menos tiempo aún. La película en colores que toma las vistas es **estereoscópica** y se renueva por sí sola después de cada exposición. Revela las fotografías en una **fracción** de segundo.

Todos los compañeros de viaje de Tobías se quedaron impresionados por aquella cámara fotográfica que era, evidentemente, mucho mejor que los modelos japoneses y alemanes que ellos tenían.

La mujer de Tobías, sin embargo, se acercó a él y le dijo:

—Eres un mentiroso, tú no tienes esa cámara.

—Claro que la tengo —respondió Tobías—, y tú también, y todo el mundo: es el ojo humano.

1. Expresiones y léxico

extasiarse: quedar encantado, maravillado por lo que se ve o se oye.

cesar: dejar de hacer algo.

abertura: diámetro útil del objetivo de un aparato óptico.

enfocar: hacer que la imagen de un objeto se recoja con claridad sobre un plano determinado.

diafragma: disco pequeño perforado, situado en el objetivo de la cámara, que sirve para regular la cantidad de luz que entra en ella.

estereoscópica: que funciona de modo que mirando con ambos ojos, se ven dos imágenes de un objeto, que, al fundirse en una, producen una sensación de relieve.

fracción: parte, trozo, fragmento.

2. Actividades de comprensión

— ¿Dónde estaba Tobías?

— ¿Con quién viajaba?

— ¿Con qué se extasiaban los compañeros de viaje?

— ¿Qué hacían mientras tanto?

— ¿Tomaba Tobías alguna foto del paisaje?

— ¿Qué le preguntaron los otros turistas?

— ¿Cómo era la cámara que él tenía?

— ¿Había alguna cámara mejor que la suya?

— ¿Por qué le dijo Severiana que era un mentiroso?

— ¿Cómo le demostró Tobías a su mujer que tenía esa cámara tan maravillosa?

3. Temas para debate

— Las increíbles capacidades del cuerpo humano.

12 EL MENDIGO Y EL PELUQUERO

En la peluquería de Jacinto, situada en la Plaza Mayor de Villarriba, entró una mañana un hombre con el pelo muy largo, vestido con un traje viejo y **raído**.

El peluquero pensó que probablemente aquel hombre no podría pagarle. A pesar de ello, le atendió con amabilidad, le cortó el pelo y le afeitó. Al terminar, el cliente puso unas cuantas monedas encima de la mesa, vació los bolsillos hacia fuera para demostrar que no tenía nada más en ellos y dijo:

—Es todo lo que tengo. Si lo hubiera sabido antes, hubiera preferido quedarme con el pelo largo.

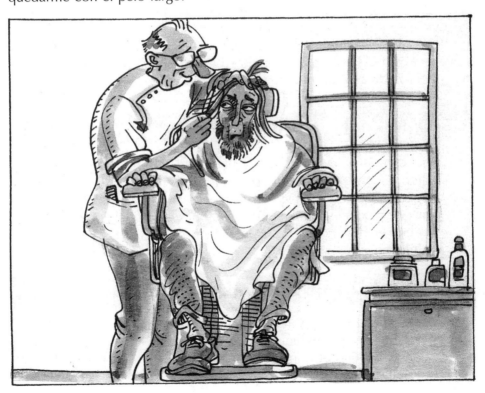

Jacinto era un hombre bueno y decidió dejar que el mendigo se fuera, sin coger siquiera las pocas monedas que había puesto encima de la mesa. Le despidió diciéndole:

—Váyase en paz, buen hombre. Puesto que no tiene dinero, le regalo el corte de pelo y el afeitado.

En ese momento entró en la peluquería un conocido de Jacinto, que vivía en un pueblo cercano y que saludó cortésmente al mendigo:

—Muy buenos días, don Joaquín.

—¿Le conoces? —preguntó el peluquero.

—¿Cómo no voy a conocer al hombre más rico de mi pueblo?

El peluquero se sintió engañado e insistió en que el falso mendigo tenía que pagarle por su trabajo. Éste, a su vez, **argumentaba** que Jacinto le había regalado el corte.

Finalmente, fueron a buscar a Tobías, que era alcalde y **juez de paz,** para que decidiera lo que se debía hacer. Tobías escuchó a las dos partes y luego tomó la siguiente decisión **salomónica:**

—Usted —dijo dirigiéndose a don Joaquín— no tiene que pagar: el peluquero le regaló el corte de pelo y el afeitado. Pero tú —dijo a Jacinto— no tienes por qué cortarle el pelo gratis a un millonario. Por lo que mi sentencia es que las cosas vuelvan a su estado inicial y que el millonario no se mueva de aquí hasta que vuelvan a crecerle el pelo y la barba.

1. Expresiones y léxico

mendigo: persona que habitualmente pide limosna y vive de ella.
raído: muy gastado por el uso, aunque no roto.
argumentar: aducir, alegar, dar razones.
juez de paz: antiguamente, persona que reconciliaba a los que estaban enfrentados. A veces, podía sustituir al juez.
salomónica: justa y sabia.

2. Actividades de comprensión

— ¿Cómo era el hombre que entró en la peluquería?
— ¿Qué pensó el peluquero al verle entrar?
— ¿Qué le dijo el hombre a Jacinto tras haberse cortado el pelo y afeitado?

— ¿Cómo era el peluquero?
— ¿Qué decidió entonces Jacinto?
— ¿Quién era en realidad el mendigo?
— ¿Por qué se sintió engañado el peluquero?
— ¿Qué exigió Jacinto a don Joaquín después de saber quién era?
— ¿A quién fueron a ver el peluquero y su cliente?
— ¿Qué era Tobías?
— ¿Qué decisión tomó?

3. Temas para debate

— Caridad y justicia.

13 UN PERRO FIEL

Tobías estaba tomándose unos vasos de vino en la **fonda** de su pueblo, acompañado por su perro, un animal extraordinariamente inteligente.

En la mesa de al lado almorzaba un turista americano que se hallaba de viaje por España y que **estaba alojado** en la fonda desde hacía dos días. El americano vio lo listo que era el perro de Tobías y los muchos trucos que sabía hacer. **Se encaprichó con** él y ofreció a Tobías una gran cantidad de dinero por el perro.

Tobías, al enterarse de la intención del americano de llevarse el perro a su país, se negó **en redondo** a vendérselo, diciendo:

—¡De ningún modo! ¡No quiero perder a mi mejor amigo! Me sería imposible separarme de él.

Al poco rato, un hombre de la capital que había estado escuchando la conversación, motivado quizá por el interés que el forastero había demostrado por el perro, se acercó a Tobías y le ofreció por el perro la mitad de dinero que el americano. Tobías se lo vendió inmediatamente, **sin ningún tipo de reparos**. Al ver esto, el americano se acercó indignado a Tobías y le dijo:

—¿Cómo es que a mí no me lo quiso vender y ahora lo hace por menos dinero? ¡**No hay derecho**! ¡Usted es un **racista**! ¡Usted odia a los americanos!

—Esto no tiene nada que ver con el racismo. —contestó Tobías—. Además, yo tengo mucho aprecio a los americanos. Le dije que no quería venderle el perro porque no quería separarme de él, y así es. Mi perro es muy listo y estoy seguro de que volverá a mi casa desde la capital, puesto que ya lo ha hecho otras veces; pero no estoy tan seguro de que fuera a atravesar el océano **a nado** para volver conmigo.

1. Expresiones y léxico

fonda: establecimiento hotelero de menos categoría que un hotel.
estar alojado: vivir, hospedarse.
encapricharse con: antojarse, desear, tener capricho por.
en redondo: decididamente, sin admitir razones.
sin ningún tipo de reparos: sin objetar nada, sin tener inconveniente.
no hay derecho: expresión que equivale a decir que algo no es justo, no debe hacerse así.
racista: que sólo admite a las personas de su raza y desprecia a las demás.
a nado: nadando.

2. Actividades de comprensión

— ¿Qué hacía Tobías en la fonda?
— ¿Quién estaba sentado en la mesa de al lado?
— ¿Por qué se encaprichó del perro el americano?
— ¿Qué le ofreció a Tobías por él?
— ¿Qué contestó Tobías a la oferta?
— ¿Quién se acercó poco después?

— ¿Qué quería este hombre?
— ¿Cuánto le ofreció el hombre por el perro?
— ¿Qué hizo Tobías al oír su oferta?
— ¿Qué dijo entonces el americano?
— ¿Por qué insultó a Tobías?
— ¿Era Tobías racista en realidad?
— ¿Por qué le había vendido el perro al hombre de la capital y no al americano?

3. Temas para debate

— La fidelidad de los perros.

14 EL NEGOCIO DEL SIGLO

En Villarriba, Tobías había abierto una nueva tienda. Un cartel encima de la puerta decía:

> SUGERENCIAS, CONSEJOS Y TRUCOS
> PARA LLEVAR UNA VIDA MEJOR

Un cliente entró a la tienda y preguntó:
—Dígame, señor, ¿cuánto cuesta?

—Eso depende de lo que quiera usted —contestó Tobías—. Una sugerencia vale cien pesetas; un consejo, mil; y un truco, diez mil.

—Bien, entonces, quiero una **sugerencia** —dijo el cliente y pagó cien pesetas.

—Muy bien —dijo Tobías—. Nunca debe tener las manos hacia arriba cuando se las lave.

—¿Por qué?

—Porque, de lo contrario, se mojará las mangas de la camisa y de la chaqueta.

—Pero lo que yo necesito es un consejo económico —dijo el cliente, mientras daba a Tobías mil pesetas..

—Bien —dijo Tobías después de guardarse el dinero—. Cuando su mujer vaya por zonas peligrosas del pueblo, dígale que meta su bolso en una bolsa de la compra para **despistar** a los ladrones.

—Muy bien, pero yo quiero saber cómo ganar dinero, cómo montar un buen negocio.

—Ah, bueno —contestó Tobías—. Entonces, lo que necesita es un truco. Por diez mil pesetas recibirá usted una buena información para montar un negocio. Dígame dónde vive.

—En Villabajo, el pueblo de al lado.

Tobías, después de cobrar el dinero, dijo:

—Cuando llegue a Villabajo, **alquile** una tienda como ésta, cuelgue en la puerta un cartel que diga:

> SUGERENCIAS, CONSEJOS Y TRUCOS

y le **garantizo** que, diariamente, con sólo cinco o seis idiotas como usted, **hará una fortuna**.

1. Expresiones y léxico

sugerencia: idea que alguien da y que puede seguirse o no.
despistar: equivocar a alguien, engañar.
alquilar: pagar una cantidad de dinero por utilizar algo que no es propio.
garantizar: dar seguridad de que algo va a suceder.
hacer una fortuna: ganar gran cantidad de dinero.

2. Actividades de comprensión

— ¿Dónde había abierto Tobías una nueva tienda?
— ¿Qué ponía en el cartel?
— ¿Cuánto costaban las sugerencias?
— ¿Cuánto costaban los consejos?
— ¿Cuánto costaban los trucos?
— ¿Qué le pidió el cliente a Tobías?
— ¿Qué sugerencia le dio él?
— ¿Qué era lo que el cliente necesitaba?
— ¿Qué consejo le dio Tobías?
— ¿Qué era lo que quería saber en realidad el cliente?
— ¿Cuánto pagó el cliente por el truco?
— ¿Qué truco le dio Tobías al cliente para ganar dinero?

3. Temas para debate

— Negocios originales.

15 TIBURONES

Un norteamericano había ido de viaje a Brasil. Allí visitó muchas ciudades y recorrió en barco gran parte del río Amazonas. Las temperaturas en aquella región son muy húmedas y calurosas, ya que toda la zona de la selva tiene clima ecuatorial.

Un día, al llegar a un tranquilo **poblado indígena**, el viajero, que estaba totalmente mareado por el calor y necesitaba urgentemente un baño, dijo a uno de los habitantes del poblado:

—Necesito un sitio seguro para bañarme. Acompáñeme y le pagaré.

El indígena estuvo de acuerdo y lo llevó a un sitio a la orilla del río.

—¿Está seguro de que en esta agua no habrá cocodrilos? —le preguntó el norteamericano.

—No, señor, no los hay —le contestó el indígena.

—Pero, ¿está usted absolutamente seguro de que no hay ningún cocodrilo en este lugar? —insistió el norteamericano.

—Seguro, señor —repitió el indígena—, seguro que no hay cocodrilos. Pero, si quiere, le puedo llevar a una zona del río, no muy lejos de aquí, donde jamás hay cocodrilos.

El viajero aceptó **encantado** la idea de poder **refrescarse** tomando un buen baño. El indígena le acompañó a una zona en la que el río era mucho más ancho. Cuando el norteamericano estaba nadando a cincuenta metros de la orilla, vio de pronto algo que saltó por encima del agua. Gritó entonces, asustado, al indígena que le esperaba en la orilla:

—¿Está seguro de que aquí no hay cocodrilos?

El indígena respondió tranquilamente al norteamericano:

—¡Claro que no, báñese usted tranquilo, los cocodrilos tienen **pánico** de los tiburones y nunca se atreverían a venir aquí!

1. Expresiones y léxico

poblado indígena: pueblecito en el que viven los que han nacido y viven en la selva.
encantado: feliz, satisfecho
refrescarse: tomar un baño de agua fría para reducir el calor.
pánico: miedo muy fuerte.

2. Actividades de comprensión

— ¿Adónde había viajado el norteamericano?
— ¿Cómo son las temperaturas en aquella región?
— ¿Qué necesitaba urgentemente el viajero?
— ¿Qué le preguntó al indígena?
— ¿Qué le respondió éste?
— ¿Adónde acompañó el indígena al viajero?
— ¿Por qué se asustó el norteamericano?
— ¿Qué le preguntó de nuevo al indígena?
— ¿Por qué no había cocodrilos en aquellas aguas?

3. Temas para debate

— El turismo en lugares exóticos.

16 LA FERIA DE GANADO

Tobías estaba en la feria de **ganado** de Villarriba. La feria de ganado se organizaba una vez al año en el pueblo, para que todos los que quisieran comprar burros, caballos, vacas, ovejas, etcétera, pudieran encontrar los mejores ejemplares entre los que ofrecían los diferentes vendedores que acudían a la feria.

Tobías pensó que era una buena ocasión para vender su caballo y, después de limpiarlo y arreglarlo, empezó a ofrecerlo a todos los que pasaban dando grandes **voces**:

—Ahora tienen ustedes la ocasión de comprar un caballo magnífico, un caballo que corre más que ningún otro, que entiende perfectamente to-

das las órdenes, que trabaja veinte horas al día sin cansarse... y todo, por un precio **ridículo**.

Tobías hablaba tan bien, que uno de los que le escuchaban decidió comprarlo. Pagó a Tobías y se llevó el animal. Al día siguiente, sin embargo, el comprador volvió a la feria con el caballo y **fue al encuentro de** Tobías:

—Me has engañado: el caballo que me vendiste —dijo en voz muy alta— ni corre, ni es **resistente**, ni es joven, ni nada de nada. No es un caballo, es un **penco**.

—Ssshhh —le indicó Tobías en voz baja—. Si sigues hablando así de mal del caballo, te va a costar mucho más trabajo venderlo.

1. Expresiones y léxico

ganado: nombre genérico con que se designa a las vacas, los caballos, las ovejas, etcétera.
voces: gritos.
ridículo: en este caso, extraordinariamente pequeño, barato.
ir al encuentro de: ir buscando a alguien.
resistente: que es capaz de soportar grandes pesos.
penco: caballo flaco y débil.

2. Actividades de comprensión

— ¿Dónde estaba Tobías?
— ¿Cuándo se organiza la feria de ganado?
— ¿Para qué sirven estas ferias?
— ¿Qué quería hacer Tobías?
— ¿Qué hizo con su caballo?
— ¿Qué decía a los compradores?
— ¿Por qué volvió el comprador al día siguiente?
— ¿Qué le dijo el comprador a Tobías?
— ¿Qué le aconsejó Tobías al nuevo dueño del caballo?

3. Temas para debate

— Timos y estafas.

17 LA CASTAÑERA

Las castañas son los frutos del castaño. En muchos lugares de España existen grandes bosques de castaños.

En el pueblo de Tobías, al llegar el otoño, se vendían castañas asadas en el puesto que una castañera tenía en la plaza mayor. La castañera era una mujer anciana, amable y **de buen corazón**. Mucha gente le compraba un paquete de castañas asadas que, además de **estar muy buenas,** calentaban las manos en las frías tardes. Sin embargo, había algunos que **abusaban** de su buen corazón y le decían:

—Abuela, deme **cien pesetas de castañas,** que ya se las pagaré mañana porque no llevo **dinero suelto**.

Claro está que los **gorrones** nunca se acordaban de pagarle al día siguiente. Una vez, uno de ellos decidió darle un **sablazo** a la pobre castañera y, acercándose, le dijo con su mejor sonrisa:

—Señora, usted es la única persona que me puede ayudar. Tengo que ir urgentemente a la estación a recoger a mi madre y necesito 2.000 pesetas para el taxi. Estoy seguro de que usted, que es tan buena, no se negará a prestármelas.

La castañera miró al joven con sus ojos **bondadosos** y le dijo amablemente:

—¡Ay, hijo, en qué **compromiso** me pones! Ya quisiera yo poder prestarte las 2.000 pesetas, pero no puedo hacerlo porque tengo un acuerdo con el Banco de España y, según este acuerdo, ni ellos pueden vender castañas ni yo puedo prestar dinero.

1. Expresiones y léxico

de buen corazón: amable, generoso.
estar muy buenas: estar muy sabrosas.
abusar: usar algo mal, excesiva, injusta, impropia o indebidamente.
cien pesetas de castañas: cantidad de castañas que se puede comprar con cien pesetas.
dinero suelto: dinero en monedas pequeñas.
gorrón: que tiene por hábito comer, vivir o divertirse a costa de los demás.
sablazo: petición de dinero prestado, sin intención de devolverlo.
bondadoso: comprensivo, caritativo, generoso.
compromiso: situación difícil.

2. Actividades de comprensión

— ¿Qué hay en muchos lugares de España?
— ¿Cuándo se vendían castañas en el pueblo de Tobías?
— ¿Dónde se vendían las castañas?
— ¿Cómo era la castañera?
— ¿Para qué servían las castañas, además de para comérselas?
— ¿Qué hacían algunas personas con la castañera?

— ¿Qué le decían?

— ¿Qué les pasaba a los gorrones?

— ¿Qué quiso hacer un día un gorrón?

— ¿Cuánto dinero quería robarle a la castañera?

— ¿Para qué dijo el gorrón que necesitaba el dinero?

— ¿Qué le dijo la castañera al gorrón?

3. Temas para debate

— Conseguir dinero de los demás.

18 LOS HOMBRES MÁS IMPORTANTES DEL MUNDO

Tobías y seis amigos suyos estaban sentados en el Gran Café. Era miércoles por la tarde y todos los miércoles, Tobías y otros hombres del pueblo organizaban la tertulia.

La tertulia es una antigua costumbre española. Amigos y conocidos se reúnen habitualmente en un bar o en un café y hablan o discuten de cualquier tema: de política, de religión, de filosofía, de fútbol, de toros, de caza, de pesca o de cualquier cosa.

Los **contertulios** —que así se llaman los que participan en una tertulia— hablan libremente y expresan sus opiniones sobre cualquier tema, sin esperar que los demás compartan sus puntos de vista. Lo que hace interesantes las tertulias es que cada uno tenga opiniones diferentes a las de los demás y las defienda apasionadamente.

El tema de la tertulia ese miércoles era «Las personas más importantes en la historia de la humanidad». Cada uno propuso tres nombres. El sargento de policía opinó que los hombres más grandes eran César, Cristóbal Colón y Napoleón. El farmacéutico opinó que los hombres verdaderamente importantes eran los que habían **contribuido al** progreso humano y **propuso** a Pasteur, por haber inventado la vacuna contra la rabia, a Fleming por haber descubierto la penicilina y a Armstrong por haber llegado a la Luna. Cuando llegó el turno de Tobías, éste dijo:

—En el mundo moderno no hay personajes verdaderamente grandes. Las personas más importantes en la historia de la humanidad vivieron antiguamente y, sin duda alguna, son Noé, Moisés y la mujer de Lot.

Gabriel, amigo de Tobías, dijo:

—Entiendo que Noé sea importante, porque salvó a todos los animales cuando el Diluvio Universal; Moisés, porque salvó a los judíos de la **tiranía** del faraón de Egipto. Pero, ¿por qué la mujer de Lot?

—Por dos razones: en primer lugar, por simple **galantería** y en segundo lugar, porque en los **tiempos que corren** hay que meter una mujer en toda lista si uno quiere evitarse problemas.

1. Expresiones y léxico

contertulios: componentes de una tertulia.
contribuir a: ayudar y concurrir con otros al logro de algún fin.
proponer: sugerir que se tenga algo o a alguien en cuenta.
tiranía: régimen político opresor de los ciudadanos.
galantería: actitud de respeto y consideración hacia las mujeres.
tiempos que corren: tiempos actuales.

2. Actividades de comprensión

— ¿Dónde estaba sentado Tobías?
— ¿Quiénes le acompañaban?

— ¿Qué hacían allí?
— ¿Qué es una tertulia y qué se hace en ella?
— ¿De qué tema trataba la tertulia de ese día?
— ¿Qué tres nombres propuso el sargento de policía?
— ¿Quiénes eran los tres hombres más importantes, según el farmacéutico?
— ¿Qué tres personas nombró Tobías como los más importantes de la historia?
— ¿Qué dijo Gabriel?
— ¿Por qué Tobías había nombrado a la mujer de Lot como uno de los personajes más importantes de la historia?

3. Temas para debate

— El papel de la mujer en la Historia.
— Mujeres famosas.

19 REVISIÓN MÉDICA EN EL EJÉRCITO

Tobías era una persona **pacífica,** que odiaba las armas. Sobre todo, le disgustaba tener que abandonar a su familia y amigos para pasar año y medio en un cuartel, sometido a una **rigurosa** disciplina militar. Así que, por razones de **conciencia** y por motivos privados, estaba totalmente en contra de la guerra y se sentía dispuesto a hacer lo que fuera necesario para evitar hacer el servicio militar.

Cuando **fue llamado a filas**, se le ocurrió que sería una buena idea **alegar** que era **miope**. Esta excusa le sirvió durante unos cuantos meses, pero

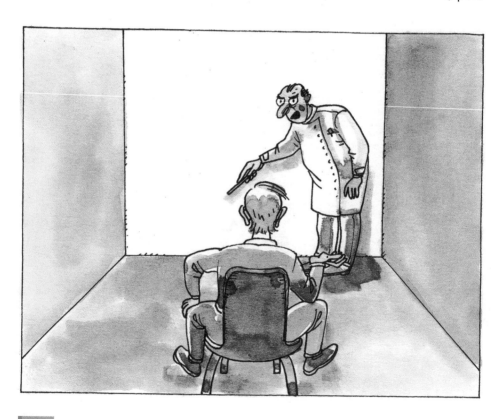

finalmente fue **convocado** al hospital general para someterse a un **reconocimiento** médico.

Allí, ante el médico militar, volvió a repetir que no servía para el ejército porque era miope. El médico, entonces, le miró fijamente y le dijo:

—Bien, te haremos unas pruebas para comprobar qué grado de miopía tienes y si es verdad que no puedes hacer el servicio militar.

Dicho esto, le llevaron a una habitación, le sentaron enfrente de la pared, a unos dos metros de distancia de ella y el médico le dijo:

—Lea las letras de la **cartulina.**

—¿Qué cartulina? —dijo Tobías—. No hay ninguna cartulina.

—**Ajá**, perfecto —dijo el médico—. Tienes una vista excelente, **recluta**, y eres totalmente **apto** para el servicio militar.

1. Expresiones y léxico

pacífico: que odia la guerra y el uso de las armas y de la violencia.
riguroso: muy severo y estricto.
conciencia: conocimiento interior del bien y del mal.
ser llamado a filas: ser reclutado para el servicio militar.
alegar: dar un pretexto para no hacer algo.
miope: persona que no ve bien de lejos.
convocar: citar, llamar a alguien para que concurra a un lugar o acto.
reconocimiento: chequeo, control, inspección.
cartulina: papel grueso o cartón fino.
ajá: expresión con la que se indica que algo es conforme con lo que se esperaba.
recluta: soldado que va a ir o acaba de comenzar el servicio militar.
apto: capaz, válido.

2. Actividades de comprensión

— ¿Cómo era el carácter de Tobías?
— ¿Qué cosas odiaba?
— ¿Qué alegó para librarse del servicio militar?
— ¿Por cuánto tiempo le sirvió la excusa?

— ¿Para qué fue llevado Tobías al hospital general?
— ¿Qué le dijo el sargento?
— ¿Adónde le llevaron?
— ¿Qué ordenó el médico a Tobías?
— ¿Por qué no pudo leer la cartulina?
— ¿Qué concluyó diciendo el sargento?
— ¿Se libró Tobías finalmente de hacer el servicio militar?

3. Temas para debate

— Servicio militar y pacifismo.
— Objeción de conciencia. Insumisión.

20 LOS TRES SOLICITANTES

Una empresa estaba buscando un nuevo empleado. Se presentaron Tobías y otros dos solicitantes. Después de varias entrevistas, los candidatos debían pasar una última prueba para demostrar su **creatividad**. La prueba consistía en fabricar algún objeto con una serie de materiales. Para ello, se entregó a cada solicitante una caja con una **sierra**, unas pinzas, unas cintas, cuerdas, trozos de madera, etcétera.

Transcurridas dos horas, los jefes de la empresa fueron a ver lo que cada solicitante había hecho. El primero había hecho un **violonchelo** con la sierra y las cuerdas.

El segundo hizo unos muñecos **articulados** de madera, que se movían mediante unas cuerdas y con los cuales improvisó una breve obra de **títeres**.

Finalmente, Tobías **se limitó a** ponerse una pinza en el labio superior y otra en el inferior y pasearse por la habitación dando vueltas, mientras movía las manos como si fueran alas y haciendo *cuá, cuá*, como si fuera un pato.

Tras unos días, la empresa anunció su decisión. Para sorpresa de todos, el puesto se **adjudicó** a Tobías. Cuando éste se enteró, fue a agradecer al **seleccionador** la **concesión** del puesto y le preguntó, un poco extrañado:

—La verdad, teniendo en cuenta los **méritos** de los otros solicitantes, tengo curiosidad por saber por qué me han elegido a mí.

—Muy fácil: en la empresa privada hay que tener visión de futuro, y usted es el único solicitante que me **garantiza** que mi puesto de subdirector no corre peligro.

1. Expresiones y léxico

solicitante: persona que pide algo, candidato.
creatividad: capacidad de creación, inventiva.
sierra: herramienta de acero para cortar madera o hierro.
violonchelo: instrumento músico de cuerda, más grande que el violín y de su misma forma.
articulado: que puede moverse.
títeres: marionetas, muñecos de guiñol.
limitarse a: hacer solamente una cosa.
adjudicar: conceder, atribuir, otorgar.
seleccionador: el que se encarga de elegir personas para un puesto de trabajo.
concesión: acción de dar o adjudicar algo.
mérito: acción digna de recompensa o alabanza.
garantizar: asegurar que algo va a suceder.

2. Actividades de comprensión

— ¿Qué estaba buscando la empresa?
— ¿Cuántos candidatos se presentaron para el trabajo?

— ¿Qué debían demostrar los solicitantes en la prueba?
— ¿Qué tenía la caja que se les entregó a los candidatos?
— ¿Cuánto tiempo se les dio para realizar la prueba?
— ¿Qué hizo el primer candidato?
— ¿Qué construyó el segundo?
— ¿Qué fabricó Tobías?
— ¿A cuál de ellos eligió la empresa?
— ¿Por qué la decisión sorprendió a todos?
— ¿Para qué fue Tobías a hablar con el seleccionador?
— ¿Por qué le habían elegido?

3. Temas para debate

— Mercado laboral.
— Entrevistas de trabajo y selección de personal.

21 UNA NOCHE EN EL TREN

En una época, Tobías trabajó como revisor de tren. Su trabajo consistía en revisar y marcar los billetes de los viajeros.

En cierta ocasión, un viajero tomó un tren nocturno que iba de Sevilla a Madrid. Este señor debía apearse necesariamente en Andújar, ya que tenía que ir a visitar urgentemente a su tío enfermo. Como el tren salía a las 11 de la noche y el viajero estaba muy cansado, le dijo a Tobías:

—Tome usted cinco mil pesetas y haga el favor de despertarme un poco antes de llegar a Andújar. Le advierto que tengo un sueño muy **pe-**

sado, así que haga todo lo necesario para que me despierte y me pueda bajar del tren en la estación de Andújar. No se le olvide, por favor. Es **imprescindible** que esté en Andújar mañana por la mañana para resolver unos asuntos de **herencia**.

El señor se durmió tranquilamente y cuando despertó por la mañana, se dio cuenta con horror de que ya estaba en Madrid. **Enfurecido**, fue a hablar con Tobías y comenzó a gritarle:

—¡Imbécil, estúpido!, ¿por qué no me ha despertado? Ahora, por su culpa, llegaré a Andújar con un día de atraso. ¡Es usted un **incompetente** y un inútil! Deberían echarle del trabajo.

Diciendo insultos **similares,** el viajero se bajó del tren y se fue corriendo a comprar otro billete de vuelta.

Cuando el señor se hubo marchado, un revisor amigo de Tobías que lo había oído todo, le dijo:

—Hay que ver, qué mal carácter tiene la gente y qué **groseros** son algunos.

A lo que contestó Tobías:

—Lo que has visto no es nada en comparación con el mal carácter que tenía el viajero al que hice bajarse a la fuerza en Andújar a las dos de la mañana.

1. Expresiones y léxico

pesado: referido al sueño, profundo, difícil de despertar.
imprescindible: muy necesario, que no puede omitirse.
herencia: conjunto de dinero y bienes que un difunto deja a sus herederos.
enfurecido: muy enfadado, furioso.
incompetente: que hace muy mal su trabajo.
similar: que tiene semejanza, parecido.
grosero: falto de corrección, con malos modales.

2. Actividades de comprensión

— ¿En qué consistió en cierta época el trabajo de Tobías?
— ¿Adónde viajaba el señor?

— ¿Por qué causa tenía este viajero que ir a Andújar?
— ¿Para qué le dio a Tobías cinco mil pesetas?
— ¿Dónde estaba el señor cuando se despertó?
— ¿Por qué se enfadó con Tobías?
— ¿Por qué no replicó éste a los insultos del viajero?
— ¿Adónde se fue inmediatamente el señor después de apearse del tren?
— ¿Qué dijo el revisor amigo de Tobías?
— ¿Qué replicó Tobías?

3. Temas para debate

— ¿Tren, coche o avión? Ventajas e inconvenientes.

22 EN EL PALACE

Tobías, **de visita por** Madrid, pasó por delante del hotel Palace, donde vio que había una peluquería de caballeros. Se decidió a entrar y se dirigió a la señorita que recibía a los clientes:

—Por favor, quisiera cortarme el pelo.

—¿Tiene usted hora? —respondió la **encargada**.

—Las cinco y media pasadas, las diecisiete treinta y tres, para ser exactos —dijo Tobías mirando su reloj.

—No, que si tiene hora para cortarse el pelo —insistió la empleada.

—Sí, tengo una hora y media, dos incluso, si hace falta.

—Quiero decir que si tiene **reserva** —insistió la señorita.

—Sí, tengo reserva de hotel para pasar esta noche aquí, en Madrid, y también reserva de avión para mañana —respondió Tobías.

—No, que si ha **concertado** una cita **previa** para cortarse el pelo —exclamó la señorita, confusa y algo alterada—. Señor, parece que no se entera usted.

—Quien no parece enterarse de nada, señorita, es usted. Si yo hubiera concertado previamente una cita, naturalmente que no habría venido aquí a decirle a usted que quería cortarme el pelo —concluyó, **categórico,** Tobías.

1. Expresiones y léxico

de visita por…: cuando estaba en…
encargado: empleado responsable de atender a los clientes.
reserva: petición anticipada de un servicio.
concertar: acordar, establecer.
previo: anticipado, que va delante o que sucede primero.
categórico: decisivo, tajante.

2. Actividades de comprensión

— ¿Dónde estaba Tobías de visita?
— ¿Por delante de qué establecimiento pasó Tobías?
— ¿Qué había en ese hotel?
— ¿A quién se dirigió Tobías?
— ¿Qué le dijo a la señorita?
— ¿Qué le respondió ella a Tobías?
— ¿Cuánto tiempo tenía para cortarse el pelo?
— ¿Dónde tenía una reserva?
— ¿Qué le quería preguntar en realidad la empleada?
— ¿Quien era la que en realidad no se estaba enterando de nada?
— ¿Qué respondió Tobías finalmente a la señorita?

3. Temas para debate

— Los distintos significados de algunas palabras.

23 LAS PRIMERAS ELECCIONES DEMOCRÁTICAS

Se celebraban las primeras elecciones democráticas en España. En Villarriba, el pueblo de Tobías, como en todas las regiones y pueblos del país, se presentaban numerosos partidos políticos para conseguir representantes en el parlamento.

Tobías fue a votar con un sobre muy **abultado** que no cabía por la **ranura** de la **urna**.

—¿Qué ha metido usted ahí? —preguntó, extrañado, el presidente de la mesa.

—Pues todas las papeletas: las del partido comunista, las del partido socialista, las del partido conservador, en fin... todas. Yo voto a todos porque todos los candidatos son conocidos míos y no quiero que ninguno se enfade conmigo.

—Pero hombre —dijo el presidente de la mesa—, ¿cómo se van a enfadar si nadie se va a enterar de lo que usted **vota**? El voto es secreto. Lo que usted ponga en el sobre no lo sabrá nadie.

—¿Seguro que no? —preguntó Tobías, extrañado.

—Seguro. Puede estar tranquilo.

Tobías se fue y volvió, al cabo de un rato, llevando en la mano un sobre normal, que fue introducido en la urna.

Terminada la votación, a las ocho de la tarde se comenzó el **recuento** de los votos. En la urna apareció una papeleta que decía: *No voto a ninguno de los candidatos porque todos son unos **corruptos**, unos **sinvergüenzas** y unos ladrones. Por lo tanto, doy mi voto al único hombre honrado del pueblo, que es Tobías.*

1. Expresiones y léxico

elección democrática: acto en que los ciudadanos eligen a sus representantes en el parlamento del país.

abultado: grande, voluminoso.

ranura: abertura, hueco por el que se puede introducir algo; por ejemplo, dinero en una hucha.

urna: caja, generalmente transparente, en la que se depositan los votos.

votar: señalar al candidato que se desea.

recuento: acción de contar todos los votos que ha tenido cada partido.

corrupto: persona que actúa ilegalmente por intereses económicos.

sinvergüenza: persona que no tiene honradez.

2. Actividades de comprensión

— ¿Qué se celebraba en España?
— ¿Adónde fue Tobías?
— ¿Qué llevaba consigo?

— ¿Por qué el sobre no entraba en la ranura?
— ¿Quién le preguntó a Tobías que qué había metido en el sobre?
— ¿Qué era lo que había metido?
— ¿A qué partidos políticos había votado Tobías?
— ¿Por qué votó a todos los partidos?
— ¿Para qué votó a todos los partidos?
— ¿Por qué nadie se iba a enfadar con él?
— ¿Qué hizo al enterarse de que el voto era secreto?
— ¿Qué ponía en la papeleta?
— ¿De quién se puede suponer que era esa papeleta?

3. Temas para debate

— La transición democrática en España.

24 TOBÍAS, MAGO

Durante las fiestas de Villarriba se celebraban **verbenas**, concursos de baile, de canto, partidas de **parchís**, de dominó, y ese año, como novedad, también habría un espectáculo de magia. Para ello se había contratado al mejor mago de España, que vendría directamente de Madrid para actuar en el pueblo.

Todo el mundo estaba muy ilusionado con este nuevo espectáculo y todos esperaban el gran día de la actuación del mago. Pero, desgraciadamente, un día antes de comenzar las fiestas, el **representante** del mago llamó al alcalde para disculparse, pues el mago había **caído enfermo** y no podría estar en Villarriba al día siguiente.

Después de la conversación con el representante, el alcalde llamó a su amigo Tobías para que le aconsejara qué hacer. Entonces, Tobías dijo al alcalde:

—La gente está muy ilusionada con el espectáculo y no podemos **suspenderlo**, así que deja que actúe yo.

—¿Tú? —preguntó el alcalde, impresionado—. Pero... ¿tú sabes algo de magia?

—Pues claro —aseguró Tobías—. Yo he hecho magia en muchas ocasiones.

El alcalde **accedió** entonces **a** que Tobías actuara en el espectáculo de magia.

Al día siguiente Tobías se vistió de mago y subiendo al escenario, dijo:

—Buenas noches, señoras y señores. **He aquí** un tubo y una caja mágicos y, además, un pañuelo blanco y otro negro. Pues bien, ahora meteré los pañuelos en la caja y soplando por el tubo, convertiré el pañuelo blanco en negro y el negro, en blanco.

1. Expresiones y léxico

verbena: fiesta popular que se celebra en los pueblos y en algunos barrios.

parchís: juego de mesa, con dados y fichas.

representante: *manager*, agente que administra los contratos y los asuntos profesionales de los actores, artistas, etcétera.

caer enfermo: ponerse malo, sufrir una indisposición.

suspender: anular algo que había sido previamente anunciado o proyectado.

acceder a: permitir, dar consentimiento a.

he aquí: ten aquí, aquí está.

2. Actividades de comprensión

— ¿Qué cosas se celebraban durante las fiestas del pueblo?

— ¿Qué había ese año como novedad?

— ¿A quién habían contratado?

— ¿Cómo estaba todo el mundo?

— ¿Qué pasó un día antes de la fiesta?
— ¿Quién llamó al alcalde?
— ¿Qué le pasaba al mago?
— ¿A quién llamó el alcalde?
— ¿Para qué llamó el alcalde a Tobías?
— ¿Qué le propuso éste?
— ¿Qué le preguntó el alcalde?
— ¿Qué hizo Tobías al día siguiente?
— ¿En qué consistía el truco que iba a hacer?

3. Temas para debate

— Magia e ilusionismo.
— Magos famosos.

25 EL VENDEDOR DE ESCOBAS

A comienzos del siglo xx, un hombre se ganaba la vida en Granada vendiendo escobas en una esquina de la plaza del mercado. Para atraer a la **clientela**, el hombre **alababa** así su mercancía:

—¡Compren ustedes las mejores escobas de Granada, las más duraderas, las de mejor calidad y al precio más barato, sólo veinte céntimos!

El negocio le iba **pasablemente bien**, hasta que a la plaza llegó otro comerciante que también vendía escobas de muy buena calidad, pero sólo a diez céntimos.

El primer vendedor, sorprendido y molesto, se acercó al otro y le dijo:

—Voy a hablarte con toda franqueza, porque **en ello me va** el pan de mis hijos: las escobas que vendo las hago yo mismo; los **palmitos** y las cañas los cojo en las **fincas** de los alrededores por la noche, cuando no me ven, y también robo las cuerdas para atarlas. Luego pongo a toda mi familia a trabajar y, a pesar de todo eso, si vendo las escobas a veinte céntimos gano sólo lo justo para comer. ¿Cómo puedes tú venderlas a mitad de precio?

—Bueno —replicó el otro vendedor—, es que yo robo las escobas ya hechas.

1. Expresiones y léxico

escoba: utensilio para barrer, compuesto por un mango de palo que, en su extremo, tiene enganchado un manojo de ramas secas o de palmito.

clientela: conjunto de personas que compran un producto.

alabar: elogiar, decir cosas buenas y positivas de algo o de alguien.

pasablemente bien: de manera aceptable.

ir en ello: depender de ello.

palmito: planta cuyas hojas se utilizan para hacer escobas.

finca: parcela de terreno.

2. Actividades de comprensión

— ¿Cuándo transcurre la historia?
— ¿Cómo se ganaba la vida el hombre de Granada?
— ¿Qué hacía para atraer a la clientela?
— ¿Cómo eran las escobas que vendía?
— ¿Cuándo empezó a empeorar su negocio?
— ¿A cuánto vendía el otro comerciante las escobas?
— ¿Qué le dijo el primer vendedor al segundo?
— ¿Cómo fabricaba sus escobas?
— ¿Por qué vendía el otro las escobas más baratas?

3. Temas para debate

— La artesanía y la industrialización.

26 PROHIBIDO VENDER EN DOMINGO

Tobías cambiaba de ocupación constantemente. Las costumbres se habían transformado: antes, las mujeres cosían su propia ropa y la de su familia en casa, pero ahora preferían comprar la ropa hecha.

En el pueblo no había ninguna tienda de ropa y la gente tenía que ir a la ciudad a comprarla. Tobías pensó que sería un buen negocio abrir una tienda de ropa en Villarriba, y así lo hizo. En la tienda, que estaba abierta doce horas al día durante los siete días de la semana, trabajaba toda la familia de Tobías.

A los pocos meses, el ayuntamiento aprobó una ley que prohibía abrir las tiendas los domingos. Pero Tobías no estaba dispuesto a perder dinero

y abrió la tienda el domingo siguiente. Tuvo la mala suerte de que pasara por allí un empleado del ayuntamiento, que le denunció.

Cuando Tobías fue a **prestar declaración** ante el juez, negó haber vendido nada en domingo. Según él, la tienda estaba abierta para hacer limpieza e **inventario**. Entonces, el juez dijo:

—Bien, quizá usted no haya vendido nada directamente, pero seguro que sí ha hablado con alguna vecina sobre el tiempo, sobre el frío invierno que **se nos avecina**… Incluso tal vez haya dicho a la mujer que usted no **rehusaría** hacerle el favor de prestarle tres pares de medias de lana, que ella podría pagar sin problemas al día siguiente.

Tobías se rió y dijo maliciosamente:

—No fue así, señor juez, se lo aseguro, pero su idea no es mala. En verdad no es nada mala. La tendré en cuenta la próxima vez.

1. Expresiones y léxico

prestar declaración: informar a un juez sobre algo.
inventario: revisión y anotación de las mercancías y productos que hay en una tienda o en un almacén.
avecinarse: aproximarse, estar a punto de llegar.
rehusar: rechazar, negarse a hacer algo.

2. Actividades de comprensión

— ¿De qué cambiaba Tobías constantemente?
— ¿Cómo habían cambiado las costumbres?
— ¿Qué pensó Tobías que sería un buen negocio?
— ¿Qué aprobó el ayuntamiento?
— ¿Cumplía Tobías esa ley? ¿Por qué?
— ¿Quién le denunció? ¿Por qué?
— ¿Qué declaró ante el juez?
— ¿Qué le respondió éste?
— ¿Qué le dijo maliciosamente Tobías?

3. Temas para debate

— Horarios comerciales.
— Abrir los domingos y festivos. ¿Sí o no?

27 TOBÍAS, CAMARERO

Cuando era joven, Tobías trabajó en muchos sitios. Una vez encontró trabajo en un **modesto** restaurante familiar, situado en la parte antigua de Madrid, que tenía por nombre *La Buena Mesa*.

Este restaurante **servía** comidas a un precio muy barato, pero la comida siempre era buena. De hecho, era de muy buena calidad en relación con el precio, y por eso el restaurante estaba casi siempre lleno.

La dueña del restaurante era una mujer muy simpática, a la que le gustaba cocinar y lo hacía muy bien. Los alimentos eran siempre frescos y nunca se servían carnes, pescados o huevos en mal estado, ni se guardaba comida de un día para otro. A pesar de todo, algunos clientes **malpensados** sospechaban que algo raro había, porque, **en su opinión,** la comida era demasiado barata para ser tan buena.

Además de la dueña y cocinera, en el restaurante había un camarero que atendía a los clientes, **tomaba nota** de lo que querían comer y servía las mesas. El trabajo de Tobías era barrer y limpiar la cocina y el restaurante, lavar los platos y ayudar en lo que hiciera falta. A veces, cuando había muchos clientes, llevaba los platos desde la cocina hasta las mesas.

Una vez llegó al restaurante un caballero mayor muy gordo y muy bien vestido. El hombre seleccionó del menú un plato de pescado al horno. Cuando Tobías se lo puso en la mesa, el cliente dijo:

—Camarero, este pescado **apesta**.

Entonces Tobías se separó dos metros de la mesa y dijo:

—Pruebe otra vez, caballero. Verá cómo ahora huele bien.

1. Expresiones y léxico

modesto: humilde, sencillo, no lujoso.
servir: dar, ofrecer.
malpensado: que siempre sospecha cosas negativas.
en su opinión: según ellos.
tomar nota: apuntar algo.
apestar: despedir muy mal olor.

2. Actividades de comprensión

— ¿Dónde trabajó Tobías cuando era joven?
— ¿Dónde estaba el restaurante y cómo se llamaba?
— ¿Cómo era la comida que servían allí?
— ¿Qué pensaban algunos clientes?
— ¿Cómo era la dueña?
— ¿En qué consistía el trabajo de Tobías?
— ¿Qué pidió el señor?
— ¿Qué dijo cuando Tobías le sirvió el plato?
— ¿Dónde se situó Tobías?
— ¿Qué era en realidad lo que olía mal?

3. Temas para debate

— Distintos tipos de restaurantes.

28 UN DIPLOMÁTICO POCO PROTOCOLARIO

El señor Soler Hidalgo era un joven diplomático que había estado trabajando en las **embajadas** de varios países del mundo. Ahora se encontraba de vacaciones en Madrid.

El día del cumpleaños del rey es tradición celebrar en el Palacio Real de Madrid una gran fiesta a la que asisten el rey y la reina, los príncipes, embajadores de distintos países, invitados famosos, actores y actrices, periodistas, escritores y también el presidente del gobierno y los ministros.

Era un día muy caluroso. Las damas llevaban vestidos **escotados,** lo cual les hacía más soportable la alta temperatura, pero los caballeros esta-

ban sudando, porque la **etiqueta** exige que se lleve chaqueta y corbata, y, naturalmente, no está **bien visto** que nadie se quite la chaqueta durante una recepción oficial.

El joven diplomático, que había sido invitado también a la recepción, se quitó la chaqueta. Enseguida se dirigió hacia él el jefe de protocolo y le susurró, enfadado:

—Caballero, ¿cómo se atreve usted a quitarse la chaqueta? ¡Esto es una recepción oficial!

El señor Soler Hidalgo le miró con tranquilidad y dijo:

—No se preocupe, tengo la **aprobación** de la reina de Inglaterra.

—¿Cómo es eso posible? —dijo, intrigado, el jefe de protocolo.

—Mire, cuando el mes pasado estuve en una recepción real en Londres, en el palacio de Buckingham, me quité la chaqueta. Y nada menos que la reina en persona se acercó y me dijo:

—Señor diplomático, eso hágalo usted cuando acuda a una recepción oficial en su país.

1. Expresiones y léxico

diplomático: persona que controla las relaciones internacionales de su país.

protocolario: seguidor de las normas de etiqueta.

embajada: lugar en el que vive un diplomático que representa a su país en el extranjero.

escotado: con un escote muy grande.

etiqueta: reglamento de estilo, usos y costumbres que se debe guardar en actos públicos.

bien visto: considerado como aceptable.

aprobación: autorización, conformidad.

2. Actividades de comprensión

— ¿Quién era el señor Soler Hidalgo?
— ¿Qué se celebra el día del cumpleaños del rey?
— ¿Quiénes son invitados a esta recepción?
— ¿Qué pasó el día del cumpleaños del rey?
— ¿Por qué los caballeros pasaron mucho calor ese día?

— ¿Por qué se quitó la chaqueta el joven diplomático?
— ¿Quién se dirigió hacia él?
— ¿Qué le susurró el jefe de protocolo?
— ¿De quién tenía aprobación el diplomático para quitarse la chaqueta?
— ¿Qué le preguntó el jefe de protocolo al oír su respuesta?
— ¿Dónde estaba el diplomático cuando habló con la reina de Inglaterra?
— ¿Qué le dijo la reina de Inglaterra al diplomático?

3. Temas para debate

— Normas de etiqueta y urbanidad.

29 GITANO POR NARICES

Tobías tenía la piel de color oscuro. Además, como trabajaba mucho tiempo al aire libre, su cara estaba tostada por el sol.

En una ocasión iba sentado en un departamento del tren y enfrente de él había sólo otro pasajero, un gitano pequeño y delgado, de mediana edad, que tenía la piel arrugada y oscura y que sostenía un bastón en la mano.

De pronto, el gitano preguntó a Tobías:

—¿Es usted gitano, verdad?

—No, buen hombre, no. ¿No ve que yo soy **castellano**?

—Venga, hombre, que hay confianza. ¿Es usted gitano?

—Ya le digo que no.

—Dígamelo, por favor, si estamos solos. ¿No será que se avergüenza de ser gitano y por eso no lo dice?

—¡Que no soy gitano! —repitió Tobías, ya un poco enfadado.

El gitano siguió insistiendo durante media hora, hasta que Tobías se hartó y le dijo:

—Bueno, ya está bien, déjeme en paz. ¡Sí, lo confieso, soy gitano!

Entonces, el gitano miró a Tobías **detalladamente**, de arriba abajo y, moviendo la cabeza de un lado a otro, dijo:

—Pues, la verdad, no se parece usted nada, pero nada, nada, a un gitano.

1. Expresiones y léxico

por narices: a la fuerza, se quiera o no se quiera.
castellano: en este caso, persona de raza no gitana.
detalladamente: minuciosamente, atentamente.

2. Actividades de comprensión

— ¿De qué color tenía la piel Tobías?
— ¿Por qué su cara estaba tostada por el sol?
— ¿Con quién iba sentado en el tren?
— ¿Cómo era el otro pasajero que lo acompañaba?
— ¿Qué le preguntó el gitano?
— ¿Qué le contestó Tobías?
— ¿De qué se avergonzaba Tobías, según el otro pasajero?
— ¿Qué se empeñaba en preguntar el gitano?
— ¿Cuánto tiempo se pasó preguntándole lo mismo?
— ¿Por qué asintió Tobías, aun sabiendo que no era gitano?
— ¿Qué le contestó finalmente el gitano?

3. Temas para debate

— Características raciales.

30 EL JUEZ DE PAZ

Hermógenes, un amigo de Tobías, había muerto en un accidente **de tráfico**. En sus últimos momentos, sólo estaba con él su hermano Juan. Tras el entierro, Juan confesó que, antes de morir, su hermano había dicho estas palabras:

—De mi fortuna, dale a mi mujer tanto como quieras. El resto te lo dejo a ti, que eres el que me cerrará los ojos.

Juan decidió dar a su **cuñada**, la **viuda** de Hermógenes, sólo cinco millones de los cincuenta que constituían la fortuna de su hermano. Pero la viuda no estuvo de acuerdo con esta cantidad y, acompañada por Juan, fue a visitar a Tobías, que era el juez de paz del pueblo.

La viuda le dijo a Tobías que el reparto le parecía injusto, pero Juan, que era conocido en el pueblo por su avaricia, rechazó cualquier acuerdo

económico y exigió el cumplimiento de las últimas palabras del moribundo.

Tobías, después de escuchar a ambas partes, se volvió hacia Juan y le dijo:

—¿Puedes jurar que las últimas palabras de Hermógenes fueron: *dale a mi mujer tanto como quieras y el resto te lo dejo a ti?*

—Sí, eso fue lo que dijo.

—¿Tu hermano te conocía igual de bien que te conocemos todos?

—Por supuesto.

—Ahora dime, ¿**a cuánto asciende** la fortuna de tu hermano?

—A cincuenta millones de pesetas.

—¿Y cuánto quieres **estafar** a tu cuñada?

—¿Cómo que estafar? Mi hermano fue el que lo quiso así.

—Bueno, digamos que él te conocía bien, sabía que eres un sinvergüenza y un **timador** y por eso dijo: *dale a mi mujer tanto como quieras* (lo que significa **literalmente** que debes darle a ella los cuarenta y cinco millones), *el resto te lo dejo a ti.* Es decir, que a ti te corresponden los cinco millones restantes.

1. Expresiones y léxico

de tráfico: producido en la carretera con un coche, un camión, una moto, etcétera.
cuñada: mujer del hermano o hermana del marido.
viuda: mujer cuyo marido ha muerto.
a cuánto asciende: cuál es la cantidad total.
estafar: obtener dinero mediante engaños y robos.
timador: estafador, que engaña y roba a la gente.
literalmente: exactamente como se expresa.

2. Actividades de comprensión

— ¿De qué había muerto el amigo de Tobías?
— ¿Quién le acompañaba cuando murió?
— ¿Cuál fue la última voluntad del moribundo?
— ¿Cuánto dinero quería Juan darle a la viuda?

— ¿Qué hizo ella al enterarse de la cifra?
— ¿Cómo era Juan, el hermano del difunto?
— ¿Qué le preguntó Tobías cuando fue a verle?
— ¿A cuánto ascendía la fortuna de Hermógenes?
— ¿Cómo cambió Tobías la distribución del dinero?
— ¿Qué quería hacer Juan desde un primer momento?

3. Temas para debate

— Enemistades familiares por causa de herencias.

31 TOBÍAS, DIRECTOR DEL CORO DE LA IGLESIA

Desde hacía años, Tobías ayudaba en la iglesia a don Cosme, el párroco, dirigiendo el coro.

En una ocasión, delante de muchos testigos, **acusó** al **tesorero** del ayuntamiento de haberse apropiado del dinero de los vecinos. El tesorero negó la acusación y fue a hablar con el cura. Después de conversar con el tesorero, don Cosme mandó llamar a Tobías y le dijo:

—¿Tienes pruebas que demuestren que el tesorero es un ladrón?

—Por desgracia, no. Pero se ha comprado una casa muy **lujosa** y un coche enorme que, desde luego, no puede pagar sólo con su sueldo.

—Eso no es suficiente —contestó don Cosme—. Si no tienes pruebas, tendrás que retirar la acusación.

—¿Cómo tengo que hacerlo?

—El domingo, antes de misa, delante de todos, has de decir: *El tesorero no es un ladrón.*

Llegó el domingo y Tobías, dirigiéndose a todos los asistentes, dijo:

—El tesorero, ¿no es un ladrón?

Don Cosme protestó enfadado:

—Ese **tonillo** suena a falso.

—Señor cura —dijo Tobías—, en cuestión de interpretación de la Biblia, usted es el que manda aquí, pero en cuestiones musicales yo soy el director del coro y no me dejo dar órdenes.

1. Expresiones y léxico

coro: grupo de personas que cantan juntas.

acusar: decir que alguien ha hecho algo malo.

tesorero: encargado de guardar y administrar el dinero de una institución.

lujoso: caro, magnífico.

tonillo: entonación, modo de decir las cosas.

2. Actividades de comprensión

— ¿En qué trabaja Tobías en la iglesia?

— ¿A quién acusó públicamente? ¿De qué?

— ¿Con quién fue a hablar el tesorero?

— ¿A quién mandó llamar el cura?

— ¿Qué le preguntó a Tobías?

— ¿Por qué sospechaba Tobías que el tesorero estaba robando?

— ¿Por qué tenía que retirar la acusación?

— ¿Por qué protestó el cura?

— ¿Por qué Tobías no se dejaba dar órdenes en materias musicales?

3. Temas para debate

— Significados según la entonación.

32 UN SASTRE MUY CARO

En Villarriba había un sastre pobre y avaro. El sastre iba los domingos a la iglesia con un abrigo viejo y lleno de **agujeros.** Don Cosme, el cura del pueblo, harto de verlo con aquel aspecto, le dijo un día:

—¿No te da vergüenza venir a un **lugar sagrado** vestido de esa manera y precisamente tú, que eres sastre?

—Lo siento, **padre** —respondió el sastre—, pero es que soy un hombre pobre que debe trabajar día y noche para ganar unas cuantas pesetas con las que dar de comer a mi mujer y a mis hijos. ¿Cómo voy a tener tiempo para **remendar** mi abrigo?

—Está bien —dijo don Cosme—, te pagaré cinco mil pesetas para que con ellas puedas arreglar tu ropa. De esa forma te podrás presentar el próximo domingo en la casa de Dios con un aspecto **decente**. ¿De acuerdo?

—Sí, padre.

Pero el domingo siguiente, el sastre volvió a aparecer con el mismo abrigo viejo, en el que había cosido unos cuantos trozos de tela para **disimular** los agujeros. Al verlo, el cura se acercó a él muy enfadado y le preguntó:

—¿Pero no te di dinero el otro día para que te hicieras un abrigo nuevo?

—Lo siento, señor cura —contestó el sastre—, yo soy un sastre muy caro. Por cinco mil pesetas, esto es lo máximo que he podido hacer.

1. Expresiones y léxico

agujero: abertura, roto, hueco.
lugar sagrado: iglesia, templo.
padre: tratamiento que se da a los sacerdotes.
remendar: arreglar la ropa cosiéndola.
decente: limpio, adecuado.
disimular: tapar o esconder algo para que no se note.

2. Actividades de comprensión

— ¿Qué había en Villarriba?
— ¿Cómo iba el sastre todos los domingos a la iglesia?
— ¿Qué le dijo don Cosme?
— ¿Qué tenía que hacer el sastre para dar de comer a su mujer e hijos?
— ¿Para qué le dio el cura cinco mil pesetas?
— ¿Cómo apareció el sastre el domingo siguiente?
— ¿Qué había hecho con el abrigo?
— ¿Cómo se puso don Cosme al ver al sastre?
— ¿Qué le contestó el sastre?

3. Temas para debate

— La avaricia.

33 TOBÍAS Y EL VENDEDOR IMPERTINENTE

Tobías se fue de vacaciones a Marruecos. Una tarde estaba en una cafetería de Marrakech tomando un té y conversando con unos amigos que había conocido en el viaje, cuando un **vendedor ambulante** interrumpió la conversación:

—¿Quieren ustedes un recuerdo de Marruecos, un llavero, unas gafas, unas tarjetas postales, un **fez**, el gorro típico de Marruecos?

—No, gracias, no queremos nada —contestó uno de los amigos.

Como el vendedor ambulante no se iba y continuaba molestando, Tobías les dijo a sus amigos:

—Tengo una idea para que deje de molestar y, además, le voy a **amargar** el día. Fijaos en lo que hago.

Entonces preguntó al vendedor:

—¿Tienes una **chilaba**?

—Sí, por supuesto. La mejor chilaba de todo Marruecos.

—¿Cuánto cuesta?

—Muy barata, sólo veinte dólares.

Tobías sacó entonces su cartera y en silencio pagó la chilaba. El vendedor se la dio, se fue y dejó de molestar.

Enseguida dijeron los amigos:

—¿En qué consiste tu idea? Has pagado lo que él ha querido. Y ¿cómo le has amargado el día?

—Esperad a que comience a lamentarse por no haberme pedido cincuenta o cien dólares por la chilaba.

1. Expresiones y léxico

impertinente: molesto, inoportuno, pesado.

vendedor ambulante: persona que va vendiendo su mercancía por la calle.

fez: gorro de fieltro rojo, usado por los árabes.

amargar: causar disgusto o enfado.

chilaba: especie de vestido largo con capucha que usan los árabes.

2. Actividades de comprensión

— ¿Adónde fue Tobías de vacaciones?
— ¿Con quién estaba conversando?
— ¿Quién entró de pronto en la cafetería?
— ¿Qué vendía el vendedor ambulante?
— ¿Querían comprar algo los amigos de Tobías?
— ¿Qué dijo Tobías al ver que el vendedor no se iba?
— ¿Cuánto le costó la chilaba?
— ¿Cómo le amargó el día al vendedor ambulante?

3. Temas para debate

— Compras turísticas.

34 UN TRATANTE DE CABALLOS

Durante algunos años, Tobías se ganó la vida como **tratante** de caballos. Iba a las **ferias de ganado** que había en los pueblos de la región y allí vendía y compraba caballos. Generalmente, conseguía vender, antes o después, todos los caballos que tenía, a mejor o peor precio. Sin embargo, había un caballo viejo que no conseguía vender nunca.

Su hijo Manolo, que era **más listo que el hambre,** le dijo:

—Déjame a mí y verás cómo vendes el caballo. Cuando se acerque algún comprador a nuestra **cuadra,** verás cómo te lo compra por el precio que le pidas.

Al día siguiente llegó a la cuadra de Tobías un tratante de caballos interesado en comprar varios buenos ejemplares. Manolo empezó a pedir en voz alta, casi **sollozando**:

—¡Por favor, papá, no vendas el **alazán**! ¡El alazán no, papá, no quiero que se lleven el alazán!

Ante la insistencia del niño, al tratante le entraron muchas ganas de comprar aquel caballo. Y, sin examinarlo **a fondo,** cerró el trato con Tobías por un precio razonable.

Cuando el tratante llevó el alazán a su casa y lo examinó con calma, se dio cuenta de que era un caballo flojo, viejo y **resabiado**. Inmediatamente volvió a casa de Tobías y le dijo:

—Compadre, no vengo a deshacer la **operación**, porque **un trato es un trato** y lo hecho, hecho está. Pero, ¿podría usted prestarme el niño para que yo pueda vender el alazán?

1. Expresiones y léxico

tratante: vendedor, comerciante.
feria de ganado: lugar público en el que se exponen los animales para su venta.
más listo que el hambre: expresión coloquial para *muy listo*.
cuadra: lugar en el que viven los caballos.
sollozar: llorar con suspiros entrecortados.
alazán: caballo que tiene la piel de color marrón rojizo.
a fondo: en todos los detalles, cuidadosamente.
resabiado: animal que tiene un vicio o una mala costumbre difíciles de quitar.
operación: trato de compraventa.
un trato es un trato: frase con la que se reconoce que los acuerdos comerciales deben mantenerse.

2. Actividades de comprensión

— ¿A qué se dedicó Tobías durante algunos años?
— ¿En qué consistía su trabajo?
— ¿Qué le pasaba al caballo viejo?

— ¿Quién era Manolo?

— ¿Cómo era?

— ¿Qué le dijo Manolo a su padre?

— ¿Quién llegó al día siguiente a la cuadra?

— ¿Qué comenzó a decir Manolo cuando llegó el comprador?

— ¿Qué hizo entonces el comprador?

— ¿De qué se dio cuenta el tratante al llegar a su casa?

— ¿Qué hizo entonces?

— ¿Qué le pidió a Tobías?

3. Temas para debate

— Técnicas de marketing.

— Aplicación de la psicología a las ventas.

35 LO DURA QUE ES LA VIDA

Un día estaban el médico y el cura de Villarriba en el café, hablando sobre las **peripecias** y experiencias que habían tenido en sus vidas. Primero dijo el médico:

—Mi vida ha sido verdaderamente dura. Pasé una infancia muy difícil, ya que mi padre había muerto y yo comencé a trabajar a los diez años para ayudar a mi madre y a mis cinco hermanos pequeños. La mayoría de los días me tenía que quedar sin comer porque el dinero no **alcanzaba** para comprar comida para todos. Después he tenido que trabajar muy **duro** para poder estudiar y hacerme médico.

Al terminar de contar su historia, el cura comenzó a narrar su vida:

—Pues no se crea que mi vida ha sido menos difícil que la suya. Yo soy **huérfano** y nunca conocí a mis padres. Me crié con las monjas y, además de pasar mucha hambre, no tenía a ningún familiar con el que hablar para contarle mis penas. Muchas de las monjas me trataban muy mal y no recibía casi nunca una muestra de cariño.

Mientras el cura contaba su historia, Tobías había entrado en el café. Al darse cuenta de la presencia del cura y del médico, se dirigió a la mesa en la que estaban sentados y se puso a escuchar **de qué iba** la conversación. Cuando el cura terminó de hablar, Tobías exclamó, muy exaltado:

—Todo lo que ha dicho no es nada. Lo mío es mucho peor. Yo sí que lo he pasado mal de verdad.

Al oír estas palabras, el cura y el médico preguntaron a Tobías qué era aquello tan terrible que le había ocurrido, que probablemente **superaba** las duras experiencias que ambos habían tenido en la vida. Tobías se sintió halagado por el interés que había despertado, y dijo:

—No se pueden ustedes imaginar lo mal que lo he pasado, la angustia tan grande que he tenido durante estos últimos meses. Me pasaron un billete falso de cinco mil pesetas, tan mal hecho, que todo el mundo se daba cuenta cuando intentaba pasarlo y me lo devolvían; hasta que por fin conseguí **deshacerme de** él el domingo pasado en el mercado de Villabajo.

1. Expresiones y léxico

peripecias: aventuras, situaciones.
alcanzar: ser suficiente.
duro: con mucha dificultad, con esfuerzo.
huérfano: que no tiene padre, madre o ninguno de los dos.
ir de: tratar, versar, ser tema de.
superar: vencer obstáculos o dificultades.
deshacerse de: librarse de, quitarse (algo) de encima.

2. Actividades de comprensión

— ¿Dónde estaban hablando el médico y el cura?
— ¿Sobre qué estaban hablando?

— ¿Con cuántos años comenzó el médico a trabajar?
— ¿Por qué, cuando era joven, se quedaba algunos días sin comer?
— ¿Cómo había sido la infancia del cura?
— ¿Cómo le trataban las monjas cuando era niño?
— ¿Quién había entrado en el café mientras el cura estaba contando su historia?
— ¿Qué dijo Tobías, muy exaltado?
— ¿Qué le preguntaron el cura y el médico, al oír lo que había dicho?
— ¿Qué había tenido Tobías durante los últimos meses?
— ¿Qué le había pasado?
— ¿Por qué todo el mundo le devolvía el billete?
— ¿Dónde consiguió deshacerse de él?

3. Temas para debate

— Los que quieren ser más que nadie.

36 LOS AMIGOS TOMAN UN CAFÉ

En cierta ocasión, Tobías viajó con dos amigos suyos a la capital para ver un partido de fútbol. Como llegaron cuatro horas antes de que comenzara el partido, decidieron ir a tomar algo a una cafetería.

Entraron en una muy moderna y elegante, situada en el centro de la ciudad, y que estaba llena de gente. Se sentaron en una mesa, el camarero se acercó y les preguntó qué iban a tomar.

Tobías y sus amigos se quedaron muy pensativos. De pronto, Tobías vio cómo un camarero llevaba una gran copa con **nata** a una mesa del café. Entonces dijo:

—Pónganos tres copas como aquéllas.

—¡**Marchando** tres **cafés irlandeses**! —gritó el camarero.

Los tres amigos no sabían exactamente lo que habían pedido, porque nunca lo habían probado anteriormente. Cuando el camarero les trajo los tres cafés irlandeses, Natalio, uno de los amigos de Tobías, probó un poco de nata, que naturalmente estaba fría, y enseguida bebió un largo trago del café **hirviendo** que había debajo de la nata. Natalio intentó disimular su dolor, pero no pudo evitar que se le llenaran los ojos de lágrimas. Al verlo, Tobías le preguntó:

—Natalio, ¿qué te pasa?

—Nada —contestó el otro—, que me estaba acordando de mi padre, **que en gloria esté**.

Al poco rato, Liborio, el otro amigo de Tobías, se bebió rápidamente el café y también **se** le **saltaron las lágrimas**. Tobías le preguntó, un poco extrañado:

—Y a ti, ¿qué te pasa ahora?

—Nada —respondió Liborio—, que yo también me estaba **acordando del padre** de éste.

1. Expresiones y léxico

nata: crema espesa y blanca elaborada con leche y azúcar.

¡marchando...!: fórmula que usan los camareros para transmitir un pedido.

café irlandés: tipo de café al que se le añade whisky y nata.

hirviendo: muy caliente, que quema en exceso.

que en gloria esté: expresión coloquial usada cuando se menciona a una persona que ha muerto.

saltarse las lágrimas: comenzar a llorar.

acordarse del padre (de alguien): aquí: un insulto fuerte, tanto al padre como al hijo.

2. Actividades de comprensión

— ¿Adónde viajó Tobías en cierta ocasión?

— ¿Quién le acompañó en este viaje?

— ¿Para qué habían ido Tobías y sus amigos a la ciudad?

— ¿Por qué decidieron ir a tomar algo a una cafetería?
— ¿Cómo era la cafetería a la que fueron?
— ¿Qué pidió Tobías?
— ¿Sabían los tres amigos lo que habían pedido en realidad?
— ¿Qué hizo Natalio cuando le sirvieron la copa?
— ¿Qué le pasó a Natalio?
— ¿Qué le preguntó Tobías?
— ¿Por qué dijo Natalio que se le habían saltado las lágrimas?
— ¿Qué hizo Liborio?
— ¿Por qué dijo que se le saltaban las lágrimas a él?

3. Temas para debate

— Lágrimas de emoción o de dolor.

37 NUNCA TE PRESENTES VOLUNTARIO

A Tobías le habían dicho los **veteranos** en el pueblo:

—En la **mili** no te presentes voluntario ni para comer. La mili tienes que pasarla sin destacar, ni por bueno ni por malo, ni por listo ni por tonto.

Cuando Tobías llevaba tres días en el campamento, el sargento reunió a la **compañía** y les dijo:

—Necesito soldados para diversos **destinos**. A ver, ¿quiénes saben mecanografía?

Tobías, que sabía escribir a máquina, pensó: *Quizá me lleven a trabajar a una oficina, pero puede haber trampa, mejor me callo.*

—¿Quiénes tienen permiso de conducir? —dijo después el sargento.

Tobías tenía **carnet,** pero pensó: *A lo mejor me ponen de* **chófer** *de un jefe militar autoritario, mejor me callo.*

—¿Quiénes saben idiomas? —preguntó luego el sargento.

Bueno —pensó Tobías—, *esto no puede ser malo. Parece un buen destino, los* **intérpretes** *siempre se dan buena vida.* Tobías había estado en el extranjero y sabías hablar, aunque mal, varios idiomas.

—Yo, **mi** sargento.

—¿Qué idiomas hablas?

—Francés, inglés, alemán, pero tengo facilidad para los idiomas y puedo aprender pronto cualquier lengua.

El sargento llevó a Tobías a una **pocilga** que estaba extraordinariamente sucia. Allí le mostró una **piara** de más de cien cerdos y le dijo:

—Muchacho, tú pareces **despabilado,** seguro que consigues entenderte con estos **gorrinos.** Diles que quiero todo esto perfectamente limpio para dentro de seis horas.

1. Expresiones y léxico

veterano: persona que ya ha hecho el servicio militar.
mili: servicio militar.
compañía: en el ejército, grupo de unos cien soldados.
destino: empleo, ocupación, puesto.
carnet: permiso, documento que autoriza a conducir un coche.
chófer: persona que conduce un automóvil.
intérprete: persona que traduce documentos o conversaciones de un idioma a otro.
mi: en los ejércitos de algunos países, se antepone este posesivo al nombre de los jefes: *mi capitán, mi teniente...*
pocilga: lugar donde viven los cerdos.
piara: grupo de cerdos.
despabilado: listo.
gorrino: cerdo.

2. Actividades de comprensión

— ¿Quiénes habían aconsejado a Tobías sobre la *mili*?
— ¿Qué le habían aconsejado?

— ¿Cómo tenía que pasar la *mili*?
— ¿A quién reunió el sargento al tercer día?
— ¿Qué dijo?
— ¿Qué pensó Tobías al oír la pregunta del sargento?
— ¿Cuál fue la segunda pregunta?
— ¿Qué pensó Tobías que le iba a pasar si decía que sabía conducir?
— ¿Cuál fue la tercera pregunta que hizo el sargento?
— ¿Qué pensó Tobías al oír esta pregunta?
— ¿Qué le contestó al sargento?
— ¿Qué idiomas hablaba Tobías?
— ¿Adónde le llevó el sargento?
— ¿Qué tenía que decir Tobías a los cerdos?
— ¿Quién tendría realmente que limpiar la pocilga?

3. Temas para debate

— Anécdotas del servicio militar.

38 ¿QUIÉN HIZO EL MUNDO?

En la iglesia católica existe la costumbre de que los niños, a los ocho o nueve años, hagan la primera **comunión**. Este acto se celebra con una gran fiesta en la que los familiares y amigos hacen regalos al niño.

Pero antes de hacer la primera comunión, todos los niños tienen que asistir, durante un año o dos, a clases sobre religión y **catecismo**. Estas clases son generalmente **impartidas** por el cura de cada iglesia.

Un día, en la clase de catecismo que daba don Cosme a chicos de Villarriba que iban a hacer próximamente su primera comunión, les habló de la religión cristiana y del origen del mundo.

Al final de la clase, don Cosme habló de lo mal que estaba todo, de las **catástrofes**, de los crímenes, de los robos y de la gente tan malvada que habita en el mundo:

—La gente se muere de hambre —dijo don Cosme—, mientras los gobiernos se gastan el dinero en armamento para hacer guerras.

Después de la **charla,** comenzó a hacer preguntas sobre el catecismo a los niños: cuántos mandamientos hay, cuántos eran los apóstoles, cómo murió Jesucristo y **así por el estilo.** Al tocarle el turno a Miguel, uno de los hijos de Tobías, el cura le preguntó:

—Miguel, ¿quién creo el mundo?

El chico, que siempre estaba distraído en clase, dijo, un poco nervioso, para ganar tiempo:

—La verdad es que hace cantidad de años que eso ocurrió...

Don Cosme se impacientó al darse cuenta de que Miguel no había estado atendiendo a la clase y le dijo secamente:

—Miguel, no cambies de tema. ¿Sabes o no sabes quién hizo el mundo?

Miguel, que no sabía qué decir, tuvo de pronto una idea y contestó, convencido:

—¡Pues quién va a ser!, ¡el gobierno!, que es, como dice mi padre, el responsable de lo mal que está todo.

1. Expresiones y léxico

comunión: acción de recibir el cuerpo de Cristo, bajo la forma de *hostia consagrada.*

catecismo: libro de instrucción elemental que contiene la doctrina cristiana, escrito en forma de preguntas y respuestas.

impartir: comunicar, enseñar.

catástrofe: hecho desgraciado.

charla: discurso, conferencia, clase.

así por el estilo: otras cosas parecidas.

2. Actividades de comprensión

— ¿Qué es tradición en la religión católica?
— ¿En qué consiste la fiesta de la primera comunión?

— ¿Qué han de hacer los niños antes de eso?
— ¿Quién imparte las clases de catecismo?
— ¿De qué habló el cura?
— ¿Qué le preguntó don Cosme a Miguel?
— ¿Contestó Miguel rápida y correctamente a la pregunta?
— ¿Por qué se puso nervioso?
— ¿Qué le dijo el cura?
— ¿Qué contestó finalmente Miguel?

3. Temas para debate

— Diversidad de creencias y religiones.

39 EL BAR LLENO DE GENTE

En un bar de Madrid estaban solos un camarero y su ayudante. El camarero le dijo a su compañero:

—A estas horas suele venir un **pueblerino**, un **cateto** al que se le nota que no lleva mucho tiempo en Madrid. El pobre todavía lleva **boina**. Dentro de un momento, cuando llegue, nos vamos a reír un rato de él.

A la hora prevista llegó Tobías al bar y, como siempre, dijo:

—Buenas tardes, ¿me **pone** un café con leche, por favor?

El camarero contestó:

—Espérese, hombre, ¿no ve que tengo mucha **clientela** y ahora no le puedo atender?

Tobías se dio cuenta de que el camarero se quería reír de él y pensó **para sus adentros**: *Éste **se va a enterar**. Le voy a quitar las ganas de hacerse el gracioso.*

Cuando el camarero se agachó para recoger del suelo unas botellas, Tobías cogió un cenicero que estaba encima del mostrador y lo lanzó **en dirección al** camarero. El cenicero cayó al suelo cerca de la cabeza del camarero y **se hizo añicos**. El camarero, asustado y enfadado, exclamó:

—¿Está loco, o qué?, ¿no ve que me ha podido matar, **desgraciado**?

Tobías le replicó, muy tranquilo:

—¿**Tendrá valor** de **echarme la culpa** a mí? ¡Con la cantidad de clientela que hay en el bar, puede haber sido cualquiera!

1. Expresiones y léxico

pueblerino, cateto: hombre de pueblo, que no conoce las costumbres de la ciudad.

boina: gorro redondo, de lana y generalmente de una sola pieza, usado generalmente por los pueblerinos..

poner: servir.

clientela: conjunto de los clientes de un establecimiento.

para sus adentros: a sí mismo.

se va a enterar: expresión coloquial que anuncia venganza.

en dirección a: hacia un determinado lugar o persona.

hacerse añicos: romperse en muchos trozos muy pequeños**.**

desgraciado: en este caso, es un insulto.

tener valor: ser capaz de, atreverse a.

echar la culpa: decir que alguien es culpable de algo.

2. Actividades de comprensión

— ¿Quiénes estaban en el bar?
— ¿Qué le dijo el camarero a su ayudante?
— ¿Quién solía ir al bar a aquella hora?
— ¿Por qué se le notaba al hombre que era un cateto?

— ¿Qué habían planeado los camareros?
— ¿Quién llegó al bar?
— ¿Qué pidió Tobías al camarero?
— ¿Qué le contestó el camarero?
— ¿De qué se dio cuenta Tobías?
— ¿Qué pensó para sus adentros?
— ¿Qué hizo para vengarse del camarero?
— ¿Qué le preguntó, enfadado, el camarero a Tobías?
— ¿Qué le respondió Tobías tranquilamente?

3. Temas para debate

— Bromas de mal gusto.

40 ALGO QUE NUNCA SE GASTA

Tobías estaba una tarde sentado en el bar de la plaza de Villarriba, charlando con sus amigos y conocidos. De repente, uno de ellos dijo:

—Me he comprado un aparato de televisión que tiene una **garantía** de dos años.

—Eso no es nada —dijo el que estaba a su lado—: yo tengo un coche japonés que tiene una garantía de tres años.

Después de escuchar a todos sus amigos, Tobías sonrió y dijo:

—Pues yo tengo una cosa que tiene una garantía **eterna**. A mi padre le duró toda su vida, me durará a mí y a los hijos de mis hijos.

—Eso es imposible —dijeron todos—. Si eso fuera así, las empresas **quebrarían** y las fábricas tendrían que **despedir** a los obreros, porque nadie compraría nada nuevo.

—Pues la tengo —insistió Tobías—. Que yo sepa, desde tiempos de mi abuelo. Os diré más: es una cosa que, cuando se gasta, **se regenera** sola, la uso todos los días y es quizá lo que más satisfacción me da en la vida.

Todos esperaban que Tobías les dijera qué era aquella cosa que tenía garantía eterna. Como Tobías no les decía nada, los amigos empezaron a hacer suposiciones. Uno dijo:

—Tiene que ser algo de goma, la goma es muy resistente; claro que la goma también se gasta con el tiempo...

Mientras todos los amigos pensaban en la solución del **enigma**, Tobías había terminado su vaso de vino. Después, se levantó y dijo:

—Lo siento, pero se me está agotando la paciencia y tengo hambre. Me voy a casa. Buenas noches a todos.

Los amigos se quedaron pensando un buen rato, pero no consiguieron encontrar la solución. Finalmente, a media noche, llamaron por teléfono a Tobías. Éste se enfadó con sus amigos, ya que le habían hecho levantarse de la cama. Decidió decirles la solución del enigma para que le dejaran dormir en paz:

—En realidad, ya os lo dije antes, cuando me despedí de vosotros en el bar. Pensad un poco. ¡Es el hambre!

1. Expresiones y léxico

garantía: seguridad que dan los fabricantes de que si un producto se estropea o deja de funcionar antes de un plazo establecido, será reparado gratuitamente o cambiado por otro igual.

eterno: que no acaba nunca, que dura siempre.

quebrar: arruinarse una empresa o un negocio.

despedir: dejar a un trabajador sin empleo.

regenerarse: volver a nacer o a producirse algo.

enigma: duda, misterio del que no se conoce la solución.

2. Actividades de comprensión

— ¿Dónde estaba sentado Tobías?
— ¿Con quién estaba hablando?

— ¿Qué se habían comprado sus amigos?
— ¿Qué les dijo Tobías?
— ¿Cómo era la cosa que tenía garantía eterna?
— ¿A quién había servido la cosa sin estropearse nunca?
— ¿Qué le dijeron a Tobías sus amigos?
— ¿Les dijo Tobías a sus amigos qué era eso que tenía garantía eterna?
— ¿Cuándo llamaron por teléfono los amigos de Tobías?
— ¿Por qué se enfadó Tobías con sus amigos?
— ¿Qué era finalmente lo que tenía garantía eterna?

3. Temas para debate

— Las garantías de fabricación.

41 MILAGRO

Tobías había sido atropellado por un autobús que transportaba turistas extranjeros. Su bicicleta quedó totalmente destruida y él tuvo que ser llevado al hospital. Allí se enteró de que la compañía de seguros del autobús, una gran compañía multinacional, se negaba a pagar la bicicleta y los gastos de hospital, **alegando** que el propio Tobías había sido el responsable del accidente, porque no se había apartado a tiempo al ver venir el autobús.

Tobías se enfadó mucho, pero no dijo nada. Terminada su estancia en el hospital, salió de allí en una silla de ruedas.

Semanas después, **se celebró** el juicio y la **compañía de seguros** fue condenada a pagar a Tobías veinte millones de pesetas por la incapacidad

física causada por las **lesiones** sufridas en el accidente. A la salida del juicio, el representante de la compañía aseguradora se acercó a Tobías y le dijo:

—Sé que eres un maldito mentiroso, que estás **fingiendo**, pero no vas a **salirte con la tuya**. Puedes seguir con la silla de ruedas por ahora, pero algún día olvidarás fingir que estás **inválido** y yo te descubriré. Te vamos a vigilar veinticuatro horas al día. Vamos a gastar mil millones de pesetas, si es necesario, para descubrirte. A nuestra compañía no la ha vencido nunca nadie. Nuestros **investigadores** son los mejores del mundo. Vayas donde vayas, te seguiremos, y cuando tengas el menor fallo, te **atraparemos**.

Tobías respondió tranquilamente:

—Te voy a decir lo que vais a ver. Durante unas cuantas semanas, me verás en la silla de ruedas, en mi casa, descansando tranquilamente. Un día, una enfermera me sacará de casa y me llevará a coger el tren, junto con don Cosme, el cura del pueblo, unas monjas del hospital y algunos vecinos. Iremos a Lourdes. Allí me llevarán a la iglesia, me arrodillaré en el suelo para rezar y entonces todo el mundo me verá levantarme y ponerme en pie. Tú puedes hacer lo que quieras por demostrar que todo ha sido un **fraude**, pero este país es católico y no puede negarse a creer en un **milagro**.

1. Expresiones y léxico

alegar: dar argumentos para defender una teoría.

celebrarse: llevarse a cabo, tener lugar.

compañía de seguros: empresa a la que periódicamente pagamos una cantidad de dinero para que, si nos ocurre una desgracia, nos dé una indemnización.

lesión: herida o daño físico producido por un accidente.

fingir: hacer creer con palabras, gestos o acciones algo que no es verdad.

salirse con la suya: hacer uno lo que se propone.

inválido: que tiene algún defecto físico o mental que le impide o dificulta alguna de sus actividades.

investigador: persona que se dedica a observar detalladamente la vida de otra para controlarla en todas sus acciones.

atrapar: coger, sorprender, capturar.

fraude: estafa, engaño.
milagro: hecho contrario a las leyes naturales.

2. Actividades de comprensión

— ¿Qué había atropellado a Tobías?
— ¿Qué le había pasado como consecuencia del atropello?
— ¿Con qué tenía que moverse ahora?
— ¿A qué fue condenada la compañía de seguros?
— ¿Quién se acercó a Tobías después del juicio?
— ¿Qué le dijo esta persona a Tobías?
— ¿Cómo iban a vigilarle?
— ¿Dónde pasaría Tobías unas cuantas semanas?
— ¿Para qué iría una enfermera a su casa?
— ¿Adónde le llevaría la enfermera?
— ¿Con quién se montaría Tobías en el tren?
— ¿Adónde viajaría?
— ¿Qué haría en la iglesia?
— ¿Cómo es este país?
— ¿En qué no puede negarse a creer?

3. Temas para debate

— Seguros.
— Milagros y sucesos sobrenaturales.

42 LA FUGA

El señor y la señora Sánchez y el señor y la señora Alvareda se encontraron, al llegar a sus casas, una carta de sus **respectivos** hijos que decía:

Queridos padres:

*Ya somos mayores y nos queremos; por eso hemos decidido irnos a vivir juntos. No intentéis buscarnos, porque nuestro propósito es serio y no pensamos cambiar de opinión. Los jóvenes tenemos que vivir nuestra propia vida y formar nuestra propia familia. Además, queremos tener libertad; en casa no nos dejáis vivir con tantas órdenes y tantas **imposiciones**. Ahora podremos hacer lo que queramos.*

Pepi Sánchez y Pepe Alvareda.

Los señores Sánchez, padres de Pepi, se sintieron **abrumados** y llamaron por teléfono inmediatamente a los padres de Pepe, los señores Alvareda. Comprobaron que ellos también habían recibido la misma carta.

Los cuatro decidieron llamar en seguida a la policía; luego llamaron a los distintos hospitales de la ciudad y, finalmente, a todos los amigos de sus hijos. Todo fue **en vano**.

Nadie sabía dónde estaban Pepi y Pepe. Los padres, desesperados, decidieron recorrer todos los bares y salas de baile a los que solían ir sus hijos.

Allí enseñaron sus fotografías a todos los camareros y clientes, tratando de obtener alguna información sobre los desaparecidos.

Las dos madres lloraban **desconsoladamente** y los padres se sentían culpables. Finalmente, a las tres de la noche, cansados después de doce horas de recorrer la ciudad, se separaron para volver cada pareja a su casa.

Al entrar en la casa, los señores Alvareda vieron, tumbado en un sillón frente a la televisión, a su hijo Pepe, quien les dijo, enfadado:

—¿Qué pasa?, ¿es que ya no se cena en esta casa a una hora **decente**?

1. Expresiones y léxico

fugarse: escaparse, evadirse.
respectivo: aquí: un hijo de cada matrimonio.
imposición: exigencia u obligación que se impone sobre alguien.
abrumado: agobiado, molesto, angustiado.
en vano: sin resultados, inútilmente.
desconsoladamente: sin consuelo, lleno de pena.
decente: justo, debido.

2. Actividades de comprensión

— ¿Quiénes se encontraron las cartas?
— ¿Qué decían en ellas?
— ¿Quién las había escrito?
— ¿Qué hicieron los padres de Pepi tras leer las cartas?
— ¿Qué les contestaron los padres de Pepe?
— ¿Qué decidieron hacer los cuatro padres?

— ¿Adónde fueron a buscar a sus hijos?
— ¿Qué hacían las madres de los dos jóvenes?
— ¿Cómo se sentían sus padres?
— ¿A quién encontraron los señores Alvareda al entrar en su casa?
— ¿Qué les dijo Pepe a sus padres cuando los vio aparecer?

3. Temas para debate

— Los jóvenes que se quieren ir de casa.
— Los jóvenes que no se quieren ir de casa.

43 EN UN BAR DEL AEROPUERTO

Tobías estaba con Daniel, su hijo pequeño, en el aeropuerto, para **tomar un vuelo** con destino a Barcelona.

En los aeropuertos hay muchas tiendas, bares y restaurantes. En ellos se venden cosas bonitas, pero caras. Las tiendas y los bares hacen un buen negocio, porque los viajeros en los aeropuertos tienen que pasar un tiempo de espera y **se entretienen** mirando y comprando. Los turistas también aprovechan los últimos minutos para comprar cosas típicas del país y llevarlas de vuelta a casa como recuerdo.

A Daniel, al pasar por delante de un bar que se llamaba *La Cabaña de Tío Óscar*, le **apeteció** comer algo. Tobías **se dejó convencer** y los dos entraron en el bar y se sentaron en una mesa. Un camarero muy elegante se acercó enseguida. El hijo de Tobías, sintiéndose un poco **intimidado** por la elegancia del camarero, dijo:

—Señor, ¿puedo tomar un bocadillo de jamón como los que hay en el escaparate?

—Claro, hijo, yo soy el tío Óscar y estoy aquí para cuidar de mis amigos los niños.

Daniel pidió un bocadillo de jamón y un refresco. Tobías no pidió nada. Cuando el niño terminó de comerse el bocadillo, Tobías pidió la cuenta. **Horrorizado**, comprobó que el bocadillo de jamón le había costado cinco veces más de lo que un bocadillo de jamón costaba en su pueblo. Tobías pagó, **resignado,** el **importe,** y antes de irse le dijo a su hijo:

—Daniel, despídete del tío Óscar y dale un abrazo muy fuerte.

—¿Por qué tengo que darle un abrazo a ese señor? —protestó Daniel.

—Dale un abrazo muy fuerte —repitió Tobías en voz alta, para que todo el mundo le oyera— porque es la última vez en tu vida que vas a verlo.

1. Expresiones y léxico

tomar un vuelo: coger un avión.
entretenerse: distraerse par hacer más llevadera la espera.
apetecer: tener gana de alguna cosa, desear o querer algo.
dejarse convencer: dejar que otra persona consiga lo que quiera de uno.
intimidado: con miedo o gran respeto.
horrorizado: asustado, impresionado.
resignado: conformado con una situación negativa o no deseada.
importe: precio.

2. Actividades de comprensión

— ¿Con quién estaba Tobías en el aeropuerto?
— ¿Hacia dónde se dirigía?

— ¿Qué hay en los aeropuertos?
— ¿Por qué los bares y las tiendas de los aeropuertos hacen negocio?
— ¿Qué hacen los turistas en el último momento?
— ¿Por dónde pasó Daniel?
— ¿Qué le apeteció?
— ¿Qué le pidió Daniel al camarero?
— ¿Por qué se horrorizó Tobías al pedir la cuenta?
— ¿Qué le dijo a su hijo después de pagar?
— ¿Qué preguntó Daniel al oír lo que le dijo su padre?
— ¿Por qué tenía que darle un abrazo muy fuerte al dueño del bar?

3. Temas para debate

— Los precios en los aeropuertos.

44 VIAJE A SEVILLA

Toda la familia **importunaba** a Tobías, quejándose de que no los llevaba a ningún sitio, de que nunca los sacaba de casa.

Así que Tobías llevó a su familia de viaje a Sevilla y allí vieron todos los monumentos: la Plaza de España, la Torre del Oro, la Catedral… Además, les hizo subir andando a la Giralda, una torre de más de noventa metros de altura.

Luego fueron a ver la Plaza de España y toda la familia se montó en las barquitas. A continuación, les enseñó todo el Parque de María Luisa, hasta el último rincón; el Parque de San Telmo, el hotel Alfonso XIII, la plaza de toros de la Maestranza, el barrio de Triana… A las seis horas de estar andando, toda la familia empezó a quejarse diciendo que estaban cansados y que tenían hambre.

Tobías les dijo:

—Ya descansaréis cuando lleguemos a casa. Tenéis la suerte de estar en Sevilla, en una de las ciudades más bonitas del mundo, una de las más **ricas en** monumentos, parques y museos. Sería imperdonable no aprovechar el tiempo.

Cuando volvió al pueblo, Tobías fue directamente a la consulta de su amigo el doctor Balbuena. Éste le examinó los pies y, horrorizado, le dijo:

—Pero ¿no te das cuenta de que tienes los pies llenos de **ampollas**? ¿Por qué no te has tomado con más tranquilidad el viaje a Sevilla? ¿Es qué no notabas el dolor en los pies?

—¡Claro que me daba cuenta! —respondió Tobías—, pero era la única manera de que mi familia me deje en paz durante un par de años y se lo piensen muy bien antes de obligarme otra vez a llevarlos de viaje.

1. Expresiones y léxico

importunar: molestar insistentemente.
rico en: con abundancia de.
ampolla: herida formada en un pie como consecuencia del roce continuo de los zapatos; vejiga producida por la elevación de la piel.

2. Actividades de comprensión

— ¿De qué se quejaba la familia?
— ¿Qué decidió hacer Tobías, harto ya de los reproches de su familia?
— ¿Qué monumentos visitaron en Sevilla?
— ¿Adónde subió Tobías a su familia andando?
— ¿Dónde los montó en barca?
— ¿Cuándo comenzaron a quejarse?
— ¿De qué se quejaban ahora?
— ¿Qué les contestó Tobías?
— ¿Qué hizo en cuanto llegó al pueblo?
— ¿Qué le dijo el doctor Balbuena?
— ¿Notaba Tobías el dolor de pies?
— ¿Por qué no se tomó entonces el viaje con más tranquilidad?

3. Temas para debate

— Visitas turísticas.

45 ACUSADO DE ASESINATO

Se estaba **juzgando** el caso de la desaparición de la esposa de un hombre de negocios conocido por su **brutalidad** y frialdad.

El fiscal demostró que el marido había **maltratado** a su mujer frecuentemente y la había **amenazado** de muerte si intentaba huir de casa. El abogado defensor argumentaba que el **cadáver** de la mujer no había sido encontrado, por lo que la acusación de asesinato no tenía **consistencia**. Para convencer de ello al tribunal, el abogado **ideó** un truco. Dirigiéndose a todos los presentes dijo:

—Como he **venido diciendo** a lo largo de este juicio, la esposa de mi defendido estaba desaparecida, y no muerta. Hoy puedo demostrar lo **absurdo** de la acusación de mi colega, el señor fiscal. Aunque nos ha costado mucho trabajo encontrarla, ayer **dimos** por fin **con** la esposa de mi cliente y en este momento va a entrar en la sala.

Tal como esperaba el abogado, todos los presentes dirigieron sus miradas hacia la puerta de entrada.

Pasaron dos minutos y el abogado defensor prosiguió:

—Ustedes mismos han demostrado que es perfectamente posible que la mujer esté todavía viva. Ustedes han creído en ello y han mirado hacia la puerta. Sería injusto **condenar** a mi cliente por una simple desaparición.

Días más tarde, **se emitió** el **veredicto** del tribunal. El acusado era considerado culpable y se le condenaba a treinta años de cárcel. El abogado defensor fue a ver al presidente del tribunal y le dijo:

—No comprendo el veredicto, **señoría**. Yo vi cómo usted mismo miró hacia la puerta, lo cual **implica** que usted tampoco estaba absolutamente seguro de que la mujer estuviera muerta.

—Una **precisión,** señor abogado: yo miré a la puerta de entrada de la sala con un ojo, pero con el otro miré al acusado y vi que él *no miraba* hacia la puerta.

1. Expresiones y léxico

juzgar: analizar la conducta de alguien para decidir si es culpable o no.
brutalidad: dureza, violencia.
maltratar: tratar mal, hacer daño físico o psicológico a alguien.
amenazar: dar a entender que se quiere hacer algún mal a otro.
cadáver: cuerpo de una persona muerta.
consistencia: estabilidad, solidez, coherencia.
idear: pensar, inventar, imaginar.
venir diciendo: decir algo repetidamente durante un período de tiempo.
absurdo: estúpido, sin sentido ni razón.
dar con: hallar, encontrar.
condenar: imponer un castigo.
emitir: publicar, dar a conocer.
veredicto: decisión sobre la inocencia o culpabilidad de un acusado.

señoría: tratamiento de cortesía y respeto que se da a los jueces.
implicar: significar, llevar consigo.
precisión: exactitud, detalle.

2. Actividades de comprensión

— ¿Qué se estaba juzgando?
— ¿Quién había desaparecido?
— ¿Por qué era conocido el hombre de negocios?
— ¿Qué demostró el fiscal?
— ¿Por qué no tenía consistencia la acusación, según el abogado defensor?
— ¿En qué consistía el truco que ideó el defensor para convencer al juez?
— ¿Qué hicieron todos los presentes?
— ¿Qué argumentó el abogado defensor tras poner en práctica el truco?
— ¿Cuál fue el veredicto del tribunal?
— ¿Por qué tomó el juez la decisión de considerar culpable al acusado?

3. Temas para debate

— Ventajas e inconvenientes del sistema de jurados.

46 TOBÍAS Y LA SIERRA

Tobías había conseguido un nuevo empleo: trabajaba en el monte cortando árboles. Tenía un **hacha** y con ella golpeaba los troncos por uno y otro lado, hasta que los árboles caían al suelo.

Un día, un conocido del pueblo pasó cerca de donde trabajaba Tobías y le dijo:

—Pero, Tobías, eso de cortar los árboles con un hacha es muy antiguo. Si te compras una **sierra** mecánica, trabajarás mucho más fácilmente y podrás cortar muchos más árboles en un día.

Tobías fue a la ciudad, entró en una **ferretería** en la que vendían todo tipo de sierras, y dijo al vendedor:

—Quiero algo que corte muchos árboles. Me han dicho que pida una sierra mecánica.

—Éste es el modelo más nuevo que tenemos. Puede cortar cien árboles en una hora.

—Muy bien, **me la quedo** —dijo Tobías.

Al día siguiente volvió a la tienda muy enfadado y puso la sierra mecánica encima del mostrador:

—¡Esto es una porquería! ¡Sólo he cortado tres árboles en todo el día!

—¡No puede ser! —dijo el vendedor, asombrado. Pero ante la **insistencia** de Tobías, decidió ir con él al bosque y comprobar allí el funcionamiento de la sierra.

Al llegar al lugar donde Tobías trabajaba, el vendedor tiró del cable y el motor de la sierra se puso en funcionamiento. Se disponía a hacer una demostración, cuando Tobías preguntó, extrañado:

—Pero, ¿qué es ese ruido?

1. Expresiones y léxico

hacha: herramienta cortante para partir o trocear la madera.
sierra: herramienta que corta con un movimiento de vaivén.
ferretería: tienda en la que venden herramientas, clavos, tornillos…
quedarse(lo): comprar(lo).
insistencia: acción de decir algo muchas veces.

2. Actividades de comprensión

— ¿Qué había conseguido Tobías?
— ¿Con qué cortaba los árboles?
— ¿Qué le dijo un conocido del pueblo?
— ¿Dónde entró en la ciudad?
— ¿Qué le dijo al vendedor?
— ¿Cuántos árboles podía cortar la sierra mecánica en una hora?
— ¿Cómo volvió Tobías al día siguiente a la tienda?
— ¿Cuántos árboles había cortado con la sierra mecánica?
— ¿Para qué fue el vendedor con Tobías al bosque?
— ¿Qué hizo al llegar allí?
— ¿Por qué Tobías había cortado tan pocos árboles?

3. Temas para debate

— Industrialización y artesanía.

47 UN PROFESOR CHISTOSO

En el instituto, era el primer día de clase de Física. En el **aula** había más de sesenta alumnos de catorce o quince años que comenzaban a estudiar física, una asignatura que no habían estudiado antes. Además, todos los alumnos estaban un poco asustados porque les habían dicho que el **catedrático** de física, el señor Ramírez, era un profesor muy **exigente** y que muchos alumnos no conseguían aprobar la asignatura.

Cuando el profesor de Física entró en la clase, dijo muy seriamente:

—Quiero comprobar cuál es el nivel de inteligencia y de preparación de los alumnos de este curso, así que comenzaremos de inmediato con un problema:

Un avión sale de Madrid a las 12,50, **con destino a** Mallorca, con una velocidad, en el momento del despegue, de 230 kilómetros por hora y una velocidad de crucero de 800 kilómetros por hora. El viento es de 14 **nudos** dirección **NO**. Mi prima se llama Virtudes. ¿Cuántos años tengo yo?

Toda la clase empezó a **murmurar** y estuvo así durante un buen rato, sin saber qué responder, hasta que un alumno pequeño y con gruesas gafas levantó la mano.

—A ver, ¿tú ya lo sabes?

—Si, usted tiene cuarenta y cuatro años —respondió el alumno.

—¡Caramba, muy bien! —dijo el profesor, realmente sorprendido—. ¿Cómo lo has calculado?

—Bueno, es que tengo un primo que es medio tonto y tiene veintidós años.

1. Expresiones y léxico

chistoso: gracioso, que le gusta hacer bromas.

aula: habitación en la que están el profesor y los alumnos durante la clase.

catedrático: profesor que tiene una cátedra (puesto de docencia en institutos y en la universidad).

exigente: severo, que pide mucho.

con destino a: que se dirige a, en dirección a.

nudo: unidad en que se mide la velocidad de un barco o un avión, equivalente a una milla por hora.

NO: noroeste.

murmurar: hablar en voz baja, generalmente criticando algo o a alguien.

2. Actividades de comprensión

— ¿Qué era aquel día en el instituto?

— ¿Cuántos alumnos había en la clase?

— ¿Qué comenzaban a estudiar los alumnos?

— ¿Por qué estaban todos muy asustados?
— ¿Cómo se llamaba el catedrático de física?
— ¿Qué quería comprobar el señor Ramírez?
— ¿Qué problema les puso a los alumnos?
— ¿Qué tenían que averiguar?
— ¿Qué comenzó a hacer toda la clase?
— ¿Cómo era el alumno que levantó la mano?
— ¿Cuántos años dijo el alumno que tenía el profesor?
— ¿Qué le preguntó éste, sorprendido?
— ¿Cómo supo el alumno la edad exacta que tenía el profesor?

3. Temas para debate

— Problemas de lógica.

48 LA CABRA

Tobías llegó, **todo angustiado,** a casa de su amigo Zacarías, el **veterinario**, y le dijo que la cabra que habían recogido de pequeña, había crecido y ahora era muy difícil tenerla en casa, porque se comía las cortinas, los trajes y los libros.

Zacarías le **sugirió** deshacerse de ella llevándola al llano que había más allá de la carretera y dejándola allí. Tobías estuvo de acuerdo.

Al día siguiente, Tobías apareció otra vez con cara seria. Zacarías le preguntó qué era lo que había pasado con la cabra y Tobías le contesto:

—La cabra volvió a casa. No se perdió.

Zacarías le dijo:

—Ve al llano que hay a la salida del pueblo; más adelante encontrarás un pequeño lago, dale tres vueltas y déjala detrás de una roca que hay junto al lago. Verás cómo la cabra no vuelve más a tu casa.

Al otro día, Tobías llegó de nuevo, muy serio, y le dijo a Zacarías:

—La cabra volvió a casa otra vez.

Entonces Zacarías le dijo:

—Bueno, esta vez te vas al llano, le das siete vueltas al lago, pasas por detrás de la roca, **coges** un camino que sube a la montaña y, a una hora de marcha, verás un gran bosque de pinos; sigues por una **vereda** que comienza allí y continúas andando una hora más. Entonces sueltas a la cabra y verás cómo no vuelve.

Cuando llegó Tobías al día siguiente, Zacarías le preguntó:

—¿Qué pasó? Todo resuelto, ¿verdad?

Tobías le respondió:

—**Si no es por** la cabra, me pierdo en el monte y no puedo volver a casa.

1. Expresiones y léxico

todo: totalmente, completamente.
angustiado: agobiado, abrumado, preocupado.
veterinario: médico que cuida y cura a los animales enfermos.
sugerir: dar una idea a alguien, dar un consejo.
coger: en este caso, echar a andar por.
vereda: camino pequeño y estrecho que transcurre por la montaña.
si no es por: si no hubiera tenido a.

2. Actividades de comprensión

— ¿Cómo llegó Tobías a casa de su amigo?
— ¿Cómo se llamaba éste?
— ¿Qué profesión tenía?
— ¿Qué le pasaba a la cabra que habían cogido de pequeña?
— ¿Cómo le sugirió Zacarías que se deshiciera de ella?
— ¿Cuándo volvió Tobías a visitar a Zacarías?
— ¿Qué había pasado con la cabra?

— ¿Qué le aconsejó Zacarías esta vez?
— ¿Qué hizo la cabra por segunda vez?
— ¿Qué había que hacer con la cabra para conseguir perderla definitivamente?
— ¿Qué preguntó Zacarías al día siguiente?
— ¿Qué le respondió Tobías?

3. Temas para debate

— El instinto de los animales.

49 TOBÍAS Y LA VACA

Cuando Tobías comenzó en el mundo de los negocios, no era todavía muy **ducho** en el oficio, ya que necesitaba desarrollar sus habilidades comerciales.

Un día decidió vender una vaca que no daba leche. Llevó el animal al mercado de su pueblo. Al llegar con la vaca, se le acercó un comerciante:

—¿Quiere usted vender esta vaca? ¿Cuánta leche da al día?

—Precisamente —se lamentó Tobías—, la quiero vender porque ya no da leche.

—¿Cuánto quiere usted por ella?

—Creo que lo justo serían 30.000 pesetas.

—Demasiado para mí —dijo el comprador, y se marchó.

Mientras tanto, otro comprador que había observado la escena, se acercó a Tobías y le dijo:

—Escucha, amigo: así no conseguirás vender la vaca. Si te comprometes a darme el diez por ciento de la venta, venderé la vaca por ti.

Tobías aceptó el trato y entonces su nuevo **socio** llevó la vaca a otro lado del mercado y comenzó a gritar:

—¡Aquí tengo la mejor vaca del mundo, una maravilla, récord mundial de producción de leche! ¿Quién quiere comprar esta **prestigiosa** vaca, una verdadera vaca holandesa?

Al oír esto, se formó un grupo de compradores alrededor de la vaca:

—¿Cuánto quiere usted por ella?

—Mírela, esta maravillosa criatura cuesta exactamente 80.000 pesetas.

—Yo puedo pagar 40.000 —dijo un comprador.

Pero al momento otro ofreció 50.000 y después, otro, 60.000. El socio de Tobías dijo a este último comprador:

—Cinco mil pesetas más y la vaca es tuya.

Pero en ese momento, Tobías le interrumpió, diciendo:

—Un momento, por favor. Yo soy el dueño de la vaca y digo que no está en venta. Una criatura tan maravillosa me la reservo para mí.

1. Expresiones y léxico

ducho: experto, que tiene experiencia en algo.
socio: persona que se une a otra para lograr algún fin común.
prestigiosa: importante, famosa.

2. Actividades de comprensión

— ¿Cómo era Tobías cuando comenzó a trabajar en los negocios?
— ¿Por qué quería vender la vaca?
— ¿Adónde llevó la vaca para venderla?
— ¿Por qué el primer comprador no la compró?
— ¿Qué trato le ofreció el segundo comerciante?
— ¿Adónde se llevó el comerciante la vaca?
— ¿Qué dijo sobre la vaca de Tobías?
— ¿Salieron muchos compradores interesados en la vaca?
— ¿Por qué dijo Tobías que la vaca ya no estaba en venta?

3. Temas para debate

— Técnicas de marketing.

50 EL CAMIONERO
Y EL AUTOSTOPISTA

Un joven **autostopista** había estado esperando cinco horas en la carretera. Ningún coche paraba. El tiempo empezó a empeorar, era ya casi de noche, llovía y hacía frío y no había en las cercanías ningún sitio donde refugiarse.

Por fin paró un camión. El conductor no parecía ser un hombre muy amable; lo primero que dijo fue:

—No sé por qué la gente tiene que hacer autostop, **habiendo** trenes y autobuses. ¡No me lo explico!

El joven calló **prudentemente**, dándose cuenta de que el camionero era un hombre difícil. Pero el otro **prosiguió**:

—Y los jóvenes, ¿qué hacéis, que no estáis trabajando? Claro, vosotros no hacéis más que divertiros y los que trabajamos tenemos que pagar impuestos para que **os deis la gran vida**.

El joven, asustado, siguió sin decir nada. Pasó casi una hora sin que ninguno hablara ni una palabra y el autostopista iba pensando: *¿De qué puedo hablar con este hombre? Si hablo de fútbol y es **del Madrid**, acierto; pero si es del Barcelona, se enfada. Si hablo de religión y el hombre es ateo, **la fastidio**; si hablo de política, puede ser de derechas o de izquierdas, ¿y cómo voy yo a adivinarlo? Pero si no digo nada, **igual** también se molesta. ¿De qué podría hablar yo?*

Tras meditar durante un buen rato, el joven se decidió finalmente a hablar y dijo:

—Pues sí, pues sí…

Entonces, el camionero le miró, **iracundo**, y le dijo:

—¡Pues no, y ahora mismo te bajas del camión!

1. Expresiones y léxico

autostopista: persona que viaja pidiendo transporte gratuito a los coches que pasan por la carretera.

habiendo: teniendo en cuenta que hay.

prudentemente: con moderación, sin arriesgarse.

proseguir: continuar, seguir hablando.

darse la gran vida: vivir con comodidad, sin preocuparse por nada.

del Madrid: partidario o seguidor del equipo de fútbol Real Madrid.

fastidiarla: estropear una situación.

igual: tal vez, a lo mejor.

iracundo: muy enfadado, con ira.

2. Actividades de comprensión

— ¿Cuánto tiempo llevaba el autostopista esperando?
— ¿Qué le pasó al tiempo (clima)?
— ¿Quién paró por fin?
— ¿Cómo era el camionero?

— ¿Qué le dijo al joven en primer lugar?
— ¿Qué hizo el joven al oírlo?
— ¿Qué continuó diciendo el camionero?
— ¿Para qué tiene la gente que pagar impuestos, según el camionero?
— ¿Cómo estaba el joven?
— ¿Qué pensaba mientras estaba callado?
— ¿Qué dijo finalmente?
— ¿Qué le contestó el camionero?

3. Temas para debate

— Personas de carácter difícil.

GLOSARIO *

* Los números entre paréntesis indican el capítulo en que cada palabra aparece por vez primera.

A

abandonar	(19)	to abandon
abertura, la	(11)	opening
abierto/a	(3)	open
abrazo, el	(43)	embrace
abrigo, el	(32)	coat
abrir	(5)	to open
abrumado/a	(42)	overwhelmed
absolutamente	(15)	absolutely
absurdo/a	(45)	absurd
abuelo/a	(17)	grandfather/grandmother
abultado/a	(23)	large, bulky
abusar	(17)	to take unfair advantage of
acceder	(1)	to agree to
accidente, el	(30)	accident
aceptar	(5)	to accept
acercar(se)	(2)	to approach
acertar	(50)	to get something right, hit the mark, guess correctly
acompañar	(13)	to accompany
aconsejar	(24)	to advise
acordar(se)	(17)	to agree
actor/actriz, el/la	(28)	actor/actress
actuar	(24)	to act
acudir	(16)	to come
acuerdo, el	(17)	agreement
acusar	(31)	to acuse
adecentar(se)	(6)	to tidy oneself up
además	(33)	besides, in addition to
adivinar	(1)	to guess
adjudicar(se)	(20)	to designate, award
admitir	(1)	to admit
adueñar(se)	(2)	to take possession of
advertir	(6)	to warn
afeitar(se)	(6)	to shave
agachar(se)	(39)	to crouch, bend down
agotar	(40)	to exhaust
agradecer	(3)	to thank
agujero, el	(32)	hole
ajustar	(11)	to adjust
ajusticiado/a	(3)	executed
ala, el (fem.)	(20)	wing
alabar	(25)	to praise
alazán, el	(34)	sorrel
alcalde/sa, el/la	(12)	mayor/mayoress
alcanzar	(35)	to reach
alegar	(41)	to allege
alimento, el	(27)	food
almorzar	(10)	to have lunch
alojado/a	(13)	guest, lodger
alquilar	(14)	to rent
alrededor	(2)	around
alterado/a	(22)	upset, agitated
altivo/a	(3)	arrogant, haughty
amabilidad, la	(12)	friendliness
amable	(17)	friendly
amargar	(33)	to spoil, ruin
ambulante	(7)	travelling
amenazar	(8)	to threaten
ampolla, la	(44)	blister
anciano/a	(17)	ancient, old
andar	(2)	to walk
angustia, la	(35)	anguish, distress
animal, el	(13)	animal

anteriormente	(36) previously	atravesar	(13) to cross
antiguo/a	(18) old, ancient	atrever(se)	(3) to dare
anunciar	(20) to announce	atropellar	(41) to knock over
añicos, los	(39) bits, pieces (e.g. smash to pieces)	aula, el (fem.)	(47) classroom
		ausencia, la	(8) absence
aparato, el	(40) set (TV)	autobús, el	(11) bus
aparecer	(3) to appear	automático/a	(1) automatic
apartar(se)	(41) to get out of the way, move away	autopista, la	(50) motorway
		autoritario/a	(37) authoritarian
apasionadamente	(18) passionately	autostopista, el/la	(50) hitch-hiker
apear(se)	(8) to get off	avaricia, la	(30) greed
apestar	(27) to stink	avaro/a	(32) greedy
apetecer	(43) to feel like	avecinar(se)	(26) to approach
apóstol, el	(38) apostle	avergonzar(se)	(29) to be ashamed of
apreciar	(13) to esteem	avión, el	(22) aeroplane
aprender	(37) to learn	ayudar	(2) to help
apretar	(9) to press	ayuntamiento, el	(26) town hall
aprobar	(26) to approve		
apropiar(se)	(31) to take possession of		
aprovechar	(8) to take advantage of		

apto/a	(19) apt, suitable		
árbol, el	(3) tree	baile, el	(4) dance
argumentar	(12) to argue	bajar	(21) to get off
arma, el (fem.)	(19) weapon	bañar(se)	(15) to bathe
armamento, el	(38) arms	baño, el	(15) bath
arrancar	(2) to start	bar, el	(18) bar
arreglar	(3) to repair	barato/a	(25) cheap
arriba	(14) up, upwards	barba, la	(12) beard
arrodillar(se)	(41) to kneel down	barca, la	(44) small boat
arrugado/a	(29) wrinkled	barco, el	(15) ship
articulado/a	(20) moving, articulated	barrio, el	(44) district, suburb
asado/a	(10) roast/ed	bastón, el	(29) walking stick
ascender	(30) to amount to	bata, la	(6) dressing gown
asegurar(se)	(1) to make sure	bayoneta, la	(3) bayonet
asesinato, el	(45) murder	beber	(36) to drink
asignatura, la	(47) subject	billete, el	(4) ticket
asistir	(28) to attend	bocadillo, el	(43) sandwich
asombrado/a	(46) surprised	boina, la	(39) beret
aspecto, el	(6) appearance	bolso, el	(12) bag
asunto, el	(5) matter	bosque, el	(17) forest, wood
asustar(se)	(2) to be frightened	botella, la	(39) bottle
atar	(3) to tie	breve	(20) brief
atender	(12) to attend to	broma, la	(1) joke
ateo/a	(50) atheist	brutalidad, la	(45) brutality
atraer	(25) to attract	burro, el	(16) donkey
atrapar	(41) to trap	buscar	(3) to look for

C

caballero, el	(8)	gentleman
caballo, el	(16)	horse
cabeza, la	(9)	head
cable, el	(46)	cable
cabra, la	(48)	goat
cadáver, el	(45)	corpse
caer	(39)	to fall
caja fuerte, la	(4)	safe (strongbox)
caja, la	(20)	box
calcular	(47)	to calculate
calentar	(17)	to heat
calidad, la	(25)	quality
callar	(37)	to be quiet
calle, la	(7)	street
calma, la	(34)	calm
calor, el	(15)	heat
caluroso/a	(15)	hot, warm
cama, la	(3)	bed
cámara, la	(11)	camera
camarero/a	(27)	waiter/waitress
cambiar	(26)	to change
caminar	(2)	to walk
camino, el	(48)	path
camión, el	(50)	lorry
camisa, la	(14)	shirt
campamento, el	(37)	camp
campo, el	(3)	field, countryside
candidato/a	(20)	candidate
cansar(se)	(2)	to get tired
cantidad, la	(4)	amount, quantity
canto, el	(24)	singing
caña, la	(25)	cane, stick
capital, la	(2)	capital
cara, la	(5)	face
carácter, el	(21)	character
cárcel, la	(45)	jail, prison
carecer	(7)	to lack
cariño, el	(35)	affection
carne, la	(2)	meat
carnet, el	(37)	license (driving)
caro/a	(32)	expensive
carretera, la	(2)	road
carromato, el	(3)	covered wagon
carta, la	(3)	letter
cartel, el	(1)	poster
cartera, la	(33)	wallet
cartulina, la	(19)	card
casado/a	(5)	tired
caso, el	(5)	case
castaño/a	(17)	brown
casualidad, la	(1)	coincidence
catástrofe, la	(38)	catastrophe
catecismo, el	(38)	catechism
catedrático/a	(47)	professor
categórico/a	(22)	categorical
cateto/a	(39)	simpleton, peasant
causa, la	(8)	cause
caza, la	(18)	hunting
celebrar(se)	(23)	to take place
cenar	(42)	to have dinner
cenicero, el	(39)	ash-tray
céntimo, el	(25)	cent
centro, el	(36)	centre
cerca	(1)	close, near
cercanías, las	(50)	neighbourhood, vecinity
cercano/a	(12)	close, near
cerdo, el	(37)	pig
cerrar	(4)	to close
cesar	(11)	to stop, desist
chaqueta, la	(14)	jacket
charla, la	(38)	chat
charlar	(40)	to chat
chistoso/a	(47)	witty, funny
chófer, el	(37)	chauffeur
cielo, el	(2)	sky
cinta, la	(20)	tape
cita, la	(22)	appointment
clase, la	(38)	class
cliente, el/la	(6)	customer, client
clientela, la	(25)	customers
clima, el	(15)	climate
cobrar	(14)	to collect, receive
coche, el	(2)	car
cocina, la	(27)	kitchen
cocinar	(27)	to cook
cocodrilo, el	(15)	crocodile
coger	(12)	to pick up
cojín, el	(3)	cushion
colchón, el	(3)	mattress
colectivo/a	(2)	collective

colega, el/la	(45)	colleague	
colgar	(14)	to hang	
color, el	(8)	colour	
comando, el	(3)	command	
combate, el	(10)	combat	
comenzar	(3)	to begin	
comer	(32)	to eat	
comerciante, el/la	(25)	merchant, salesman/woman	
cometer	(6)	to commit	
comida, la	(27)	meal	
comienzo, el	(25)	beginning	
compadre, el	(34)	pal, buddy	
compañero/a	(7)	companion	
compañía, la	(37)	company	
compartir	(18)	to share	
competencia, la	(3)	competition	
comprar	(4)	to buy	
comprender	(45)	to understand	
comprobar	(4)	to check	
comprometer(se)	(49)	to commit oneself	
compromiso, el	(17)	commitment	
comunicar	(3)	to communicate	
comunión, la	(38)	communion	
conceder	(3)	to concede	
concertar	(22)	to arrange	
concesión, la	(20)	concession	
concluir	(22)	to conclude	
concurso, el	(24)	competition	
condenar	(41)	to condemn	
conducir	(2)	to drive	
confesar(se)	(5)	to confess	
confianza, la	(29)	confidence, trust	
confiar	(4)	to trust	
confuso/a	(22)	confused	
conocer	(12)	to know	
conseguir	(23)	to achieve	
consejo, el	(14)	advice	
considerar	(2)	to consider	
consistencia, la	(45)	consistency	
consistir	(20)	to consist	
constantemente	(26)	constantly	
constituir	(30)	to constitute	
construcción	(7)	construction	
consulta, la	(4)	clinic	
contar	(2)	to count	

contertulio/a	(18)	fellow member	
contestar	(2)	to answer, reply	
continuar	(8)	to continue	
contraatacar	(3)	to counter-attack	
contrario/a	(5)	different, opposite, contrary	
contratar	(24)	to contract	
contribuir	(18)	to contribute	
convecino/a	(31)	neighbour	
convencer	(1)	to convince	
convencimiento, el	(5)	conviction, persuasion	
conversación, la	(13)	conversation	
conversar	(7)	to converse	
convertir	(24)	to convert	
convocar	(19)	to call	
copa, la	(36)	cup	
corazón, el	(17)	heart	
corbata, la	(28)	tie	
cordero, el	(10)	lamb	
coro, el	(31)	choir	
correcto/a	(1)	correct	
correr	(2)	to run	
corresponder	(30)	to correspond	
corrupto/a	(23)	corrupt	
cortar(se)	(6)	to cut oneself	
corte, el	(12)	haircut	
cortésmente	(12)	politely, courteously	
cortina, la	(48)	curtain	
coser	(26)	to sew	
costar	(14)	to cost	
costumbre, la	(4)	custom	
cráneo, el	(9)	skull	
creatividad, la	(20)	creativity	
crecer	(48)	to grow	
creer	(9)	to believe	
criar(se)	(35)	to grow (up)	
crimen, el	(38)	crime	
cristal, el	(9)	glass	
cuadra, la	(34)	stable	
cuartel, el	(19)	barracks	
cubrir	(3)	to cover	
cuerda, la	(25)	rope	
cuesta, la	(2)	slope	
cuidar	(43)	to take care of	
culpa, la	(21)	guilt, fault	
cumpleaños, el	(28)	birthday	

cumplimiento, el	(30)	fulfilment
cumplir	(10)	to carry out, comply with
cuñado/a	(30)	brother-in-law/sister-in-law
cura, el	(4)	priest
curiosidad, la	(1)	curiosity

D

dama, la	(8)	lady
dar(se) cuenta	(38)	to realise
dato, el	(1)	datum
deber	(1)	to have to
decente	(32)	decent
decidir	(1)	to decide
declaración, la	(26)	statement, declaration
dedicado/a	(9)	dedicated, devoted
defender	(18)	to defend
dejar	(8)	to leave, let
delgado/a	(29)	thin, slim
demasiado/a	(27)	too much/many
demostrar	(12)	to show
denunciar	(8)	to report (someone for doing something that is prohibited)
depender	(14)	to depend
deplorable	(6)	deplorable
derecha, la	(50)	right
desaparecer	(3)	to disappear
desarrollar	(49)	to develop
desaseado/a	(6)	desired
desastre	(6)	disaster
desayunar	(7)	to have breakfast
descansar	(41)	to rest
desconfiar	(1)	to mistrust
desconsoladamente	(42)	disconsolately
descubrir(se)	(18)	to uncover, detect, discover
desear	(5)	to desire
deseo, el	(3)	desire
desesperado/a	(4)	desperate
desgracia, la	(31)	misfortune
desgraciado/a	(39)	unfortunate
deshacer	(34)	to undo
deshacer(se)	(35)	to get rid of

despabilado/a	(37)	wide-awake
despedir(se)	(12)	to say goodbye
despegue, el	(47)	takeoff
despertar(se)	(21)	to wake up
despistar	(14)	to mislead
destacar	(37)	to stand out
destino, el	(1)	destination
destruir	(10)	to destroy
detalladamente	(29)	in detail
devolver	(35)	to return, give back
diafragma, el	(11)	diaphragm
dialogante	(5)	someone who believes in dialogue
digno/a	(3)	worthy
dinero, el	(3)	money
diplomático/a	(28)	diplomatic
dirección, la	(39)	direction
directamente	(24)	directly
directivo/a	(4)	directors
director/a	(31)	director
dirigir	(6)	to direct
dirigir(se)	(7)	to approach
disciplina, la	(19)	discipline
disculpar(se)	(8)	to apologise
discutir	(18)	to argue
disfrutar	(11)	to enjoy
disgustar	(19)	to disgust
disimular	(8)	to pretend
disponer(se)	(2)	to get ready to, prepare to
dispuesto/a	(19)	ready
distancia, la	(19)	distance
distinguir(se)	(10)	to distinguish oneself
distinto/a	(10)	different
distraido/a	(38)	distracted
diverso/a	(7)	diverse
divertir(se)	(50)	to enjoy oneself
divorcio, el	(5)	divorce
dolor, el	(36)	pain
dominó, el	(24)	domino
ducho/a	(49)	well-versed, experienced
dudar	(6)	to doubt
dueño/a	(27)	owner
duradero/a	(25)	lasting
durante	(26)	during
durar	(5)	to last
duro/a	(35)	hard

echar	(1)	to put in
echar(se)	(9)	to begin to
económico/a	(14)	economical
ecuatorial	(15)	equatorial
edad, la	(29)	age
eficiente	(1)	efficient
ejecución, la	(3)	execution
ejemplar, el	(16)	example, specimen
ejército, el	(3)	army
elección, la	(23)	execution
elegante	(36)	elegant, smart
elegir	(20)	to choose
embajada, la	(28)	embassy
emigrante, el/la	(7)	emigrant
emitir	(45)	to issue
empeorar	(50)	to worsen
empezar	(2)	to begin
empleado/a	(20)	employee
empleo, el	(46)	job, employment
empresa, la	(20)	company
empujar	(2)	to push
encantado/a	(1)	charming
encaprichar(se)	(13)	to take a fancy to
encarcelar	(3)	to imprison
encargar	(3)	to entrust
encima	(15)	above
encontrar(se)	(3)	to find oneself
encuentro, el	(16)	meeting, gathering
enfadar(se)	(2)	to get angry
enfermero/a	(41)	nurse
enfermo/a	(21)	ill, sick
enfocar	(11)	to focus on
enfrente	(6)	opposite
enfurecido/a	(8)	furious
engañar	(12)	to deceive
enigma, el	(40)	enigma
enorme	(5)	enormous
enseguida	(28)	immediately
enseñar	(4)	to teach
entender	(6)	to understand
enterar(se)	(8)	to discover, learn
entero/a	(10)	complete, full
enterrar	(9)	to bury
entierro, el	(30)	burial
entrada, la	(45)	entrance
entrar	(1)	to enter
entretener(se)	(43)	to entertain oneself
entrevistar	(2)	to interview
época, la	(21)	epoque, age
escaparate, el	(43)	shop window
escena, la	(49)	scenario
escenario, el	(24)	stage
escoba, la	(25)	broom
esconder(se)	(3)	to hide
escotado/a	(28)	low-cut, low-necked
escritor/a	(28)	writer
escuchar	(12)	to listen
espacio, el	(2)	space
espectáculo, el	(24)	spectacle
espera, la	(43)	wait
esperar	(1)	to wait for
esposo/a	(45)	husband/wife
esquina, la	(25)	corner
estable	(7)	stable
establecido/a	(3)	established
estación, la	(1)	station
estado, el	(12)	state
estafa, la	(9)	swindle
estafar	(30)	to swindle
estancia, la	(41)	stay
estropear	(2)	to spoil
estudiar	(35)	to study
estúpido/a	(21)	stupid
eterno/a	(40)	eternal
etiqueta, la	(28)	label
evidente	(6)	evident
evitar	(18)	to avoid
exacto/a	(22)	exact, precise
exaltado/a	(35)	exalted
examinar	(34)	to examine
excelencia, la	(10)	excellency
excelente	(19)	excellent
exclamar	(8)	to exclaim
excusa, la	(19)	excuse
exigir	(8)	to demand
existir	(17)	to exist
experiencia, la	(35)	experience
explicar	(6)	to explain
exposición, la	(11)	exhibition
expresar	(18)	to express

expulsar	(3)	to expel
extasiar(se)	(11)	to become ecstatic
extranjero/a	(4)	foreign
extrañar(se)	(11)	to be surprised
extraño/a	(2)	strange
extraordinario/a	(11)	extraordinary
extraterrestre, el/la	(2)	alien

fuerza, la	(21)	strength
fugar(se)	(42)	to flee
fumar	(8)	to smoke
funcionamiento, el	(46)	functioning, operation
funcionar	(1)	to operate
fusilar	(3)	to shoot
futuro, el	(20)	future

F

fábrica, la	(40)	factory
fabricar	(20)	to manufacture
facilitar	(5)	to provide
fajo, el	(4)	wad
fallo, el	(41)	mistake, error
falso/a	(12)	false
famoso/a	(28)	famous
faraón/a	(18)	pharoah
farmacéutico/a	(18)	pharmaceutical
fastidiar(la)	(50)	to stick one's foot in it (meter la pata)
felicidad, la	(5)	happiness
feria, la	(16)	fair
feroz	(3)	ferocious
ferretería, la	(46)	hardware store
fiesta, la	(28)	party
fijamente	(19)	fixedly
fijar(se)	(33)	to look at
final, el	(2)	end
finca, la	(25)	farm, property
fingir	(41)	to pretend
fiscal, el/la	(45)	prosecutor
flojo/a	(34)	loose, slack
fonda, la	(13)	tavern, inn
forastero/a	(4)	stranger
formar	(42)	to form
fortuna, la	(14)	fortune
fracción, la	(11)	fraction
franqueza, la	(25)	frankness, openness
fraude, el	(41)	fraud
fresco/a	(27)	fresh
frialdad, la	(45)	coldness
frío, el	(26)	cold
fruto, el	(17)	fruit
fuego, el	(3)	fire
fuerte	(43)	strong

G

gafas, las	(33)	glasses
galantería, la	(18)	attentiveness, galantry
gallina, la	(2)	chicken
ganado, el	(16)	cattle
ganar	(7)	to make (a living); to earn (money)
ganas, las	(34)	desire
garantizar	(14)	to guarantee
gasolinera, la	(2)	petrol station
gastar	(1)	to play (a joke)
gentuza, la	(4)	riffraff, rabble
gitano/a	(3)	gypsy
gloria, la	(36)	glory
golpear	(46)	to hit
goma, la	(40)	rubber
gorrino, el	(37)	small pig
gorro, el	(33)	cap
gorrón/a	(17)	sponger
gracioso/a	(39)	funny
grado, el	(19)	degree
gritar	(8)	to shout, cry out
grito, el	(3)	cry
grosero/a	(21)	rude, vulgar
grueso/a	(47)	thick
grupo, el	(11)	group
guardar	(4)	to keep
guerra, la	(19)	war
gula, la	(9)	greed
gustar	(5)	to like

H

habilidad, la	(49)	ability
habitación, la	(4)	room
habitar	(38)	to inhabit

habitualmente	(18)	usually
hacha, el (fem.)	(46)	axe
halagar	(35)	to flatter
hallar	(13)	to find
hambre, el (fem.)	(10)	hunger
harto/a	(32)	fed up
herencia, la	(21)	inheritance
herrero, el	(3)	blacksmith
hervir	(36)	to boil
histeria, la	(2)	hysteria
horno, el	(27)	oven
horror, el	(21)	horror
horrorizar	(43)	to be horrified
huérfano/a	(35)	orphan
huevo, el	(27)	egg
huir	(2)	to flee
humanidad,la	(18)	humanity
humano/a	(11)	human
húmedo/a	(15)	moist, humid
humo, el	(8)	smoke

I

idea, la	(15)	idea
idear	(45)	to conceive
idioma,el	(37)	language
idiota, el/la	(14)	idiot
iglesia, la	(31)	church
igual	(50)	equal
ilegal	(7)	illegal
ilusionado/a	(24)	excited
imaginar	(35)	to imagine
imbécil, el/la	(1)	imbecile
impacientar(se)	(38)	impatient
impartir	(38)	to impart, give
impecablemente	(6)	impeccably
imperdonable	(44)	unforgiveable
impertinente	(33)	impertinent
implicar	(45)	to imply, involve
importe, el	(43)	amount
importunar	(44)	to bother, pester
imposición, la	(5)	imposition
imprescindible	(21)	essential
impresionar	(11)	to impress
improvisar	(20)	to improvise

impuesto, el	(50)	tax
incapacidad, la	(41)	inability
inclinado/a	(2)	sloping, bending over
incluso	(22)	even
incompetente	(21)	incompetent
inculto/a	(9)	uncultured
independencia, la	(10)	independence
indicar	(5)	to indicate
indígena, el/la	(15)	native
indignado/a	(13)	angry
infancia, la	(35)	infancy
inferior	(20)	lower
inicial	(12)	initial
injuriar	(8)	to insult
injusto/a	(30)	unfair
inmediatamente	(8)	immediately
insertar	(1)	to insert
insistir	(12)	to insist
insolencia, la	(3)	insolence
insulto, el	(8)	insult
intención, la	(4)	intention
intentar	(2)	to try
interés,el	(13)	interest
interesar	(8)	to interest
interpretación, la	(31)	interpreting
intérprete, el/la	(37)	interpreter
interrumpir	(33)	to interrumpt
intimidado/a	(43)	intimidated
intrigado/a	(28)	intrigued
introducir	(1)	to introduce
inútil	(21)	useless
invadir	(10)	to invade
inválido/a	(41)	invalid
inventar	(18)	to invent
inventario, el	(26)	inventory
investigador/a	(41)	detective, researcher
invierno, el	(26)	winter
invitado/a	(28)	guest
iracundo/a	(50)	irate
izquierda, la	(50)	left

J

jamás	(15)	never
jamón, el	(43)	ham

jefe/a, el/la	(8) head, chief	loco/a	(39) mad
joven, el/la	(16) youngster	lugar, el	(17) place
juez de paz, el/la	(12) justice of the peace	lujoso/a	(31) luxurious
juicio, el	(41) trial	luz, la	(2) light
junta, la	(4) board		
jurar	(30) to swear		
juzgar	(45) to judge		

M

		madera, la	(20) wood
		magia, la	(24) magic
		magnífico/a	(5) magnificent

L

labio, el	(20) lip	mago/a, el/la	(24) magician
lado, el	(14) side	mal	(27) bad
ladrón/a	(14) chief	maldito/a	(2) damned
lago, el	(48) lake	maleducado/a	(8) impolite
lágrima, la	(36) tear	maliciosamente	(26) maliciously
lamentar(se)	(33) to regret	malo/a	(26) bad
lana, la	(26) wool	malpensado/a	(27) nasty, evil-minded
lanzar	(39) to throw	maltratar	(45) to mistreat
lavar	(14) to wash	malvado/a	(38) evil
leche, la	(39) milk	mandamiento, el	(38) commandment
leer	(1) to read	mandar	(3) to order, ordain
lento/a	(2) slow	manera, la	(7) manner
letra, la	(19) letter	manga, la	(14) sleeve
levantar(se)	(40) to get up	manta, la	(3) blanket
ley, la	(26) law	máquina, la	(1) machine
libertad, la	(42) freedom	maravilla, la	(49) wonder
libre	(29) free	maravillado/a	(1) astonished, amazed
limitar(se)	(11) to limit oneself	marcar	(21) to stamp
limpiar	(16) to clean	marcha, la	(48) walk
limpieza, la	(26) cleaning	marchar(se)	(5) to leave
lista, la	(18) list	mareado/a	(15) dizzy
listo/a	(9) clever, ready	marido, el	(9) husband
literalmente	(30) literally	matar	(3) to kill
llamar	(4) to call	material, el	(20) material
llamar(se)	(1) to be called	matrimonio, el	(5) marriage
llano, el	(48) plain	máximo/a	(11) maximum
llave, la	(5) key	mediano/a	(29) average
llavero, el	(33) key-ring	mediante	(20) by means of
llegar	(3) to arrive	medias, las	(26) stockings
llenar	(36) to fill	médico, el	(19) doctor
lleno/a	(27) full	medio, el	(10) means, method
llevar(se)	(2) to take	medio/a	(47) middle, medium, average
llorar	(42) to cry	meditar	(3) to meditate
llover	(3) to rain	mendigo/a	(12) beggar
local, el	(9) premises	mensaje, el	(1) message

mentiroso/a	(11)	liar
menú, el	(27)	menu
mercado, el	(25)	market
mercancía, la	(25)	mercenary
mérito, el	(20)	merit
mesa, la	(12)	table
meter	(14)	to put
miembro, el	(4)	member
milagro, el	(41	miracle
militar, el	(19)	soldier
millonario/a	(12)	millionaire
miope	(19)	short-sighted
miopía, la	(19)	short-sightedness
mirada,la	(45)	look, gaze
mirar	(8)	to look at
misa, la	(31)	mass
mitad, la	(13)	half
modelo, el	(11)	model
moderno/a	(1)	modern
mojar	(14)	to soak
molestar	(33)	to bother
molesto/a	(25)	annoying
molino, el	(10)	mill
moneda, la	(1)	coin, currency
monja, la	(35)	nun
montaña, la	(9)	mountain
montar	(2)	to mount
monte, el	(46)	mountain
monumento, el	(44)	monument
moralidad, la	(4)	morality
moribundo/a	(30)	dead
morir	(30)	to die
mostrador, el	(39)	counter
mostrar	(9)	to show
motivado/a	(13)	motivated
motivo, el	(5)	motive
motor, el	(46)	engine
mover(se)	(2)	to move oneself
mueble, el	(5)	piece of furniture
muerte, la	(45)	death
muerto/a	(45)	dead
muestra, la	(35)	sign
multitud, la	(7)	crowd
mundo, el	(1)	world
muñeco/a	(20)	puppet
murmurar	(47)	to murmur, whisper

museo, el	(9)	museum
musical	(31)	musical

N

nacer	(10)	to be born
nacionalidad, la	(10)	nationality
nadar	(13)	to swim
nariz, la	(9)	nose
narrar	(35)	to narrate
nata, la	(36)	cream
naturalmente	(9)	naturally
nave espacial, la	(2)	spaceship
necesario/a	(10)	necessary
necesitar	(14)	to need
negar(se)	(13)	to refuse
negocio, el	(4)	business
nervioso/a	(38)	nervous
nivel, el	(47)	level
nocturno/a	(21)	night
nombre, el	(1)	name
normal	(23)	normal
notar	(39)	to note
novedad, la	(24)	new development, novelty
nudo, el	(47)	naked
nuevo/a	(1)	new
numeroso/a	(11)	numerous

O

objeto, el	(2)	object
obligar	(44)	to oblige
obrero/a	(40)	worker
observar	(49)	to observe
obtener	(42)	to obtain
ocupación, la	(26)	occupation
ocupar	(3)	to occupy
ocurrir(se)	(19)	to happen
odiar	(13)	to hate
ofender(se)	(8)	to offend
oficial, el/la	(3)	officer
oficina, la	(37)	office
oficio, el	(49)	job, profession
ofrecer	(13)	to offer

oír	(3)	to hear
ojo, el	(11)	eye
olvidar	(21)	to forget
operación, la	(34)	operation
opinar	(18)	to think, consider
oportunidad, la	(1)	opportunity
orden, el	(3)	order
ordenar	(10)	to order
organizar	(16)	to organise
origen, el	(38)	origin
orilla, la	(15)	riverbank
oscuro/a	(2)	dark
oveja, la	(16)	sheep

P

paciencia, la	(40)	patience
paciente, el/la	(7)	patient
pacífico/a	(19)	peaceful
pagar	(12)	to pay
palacio, el	(28)	palace
palmito, el	(25)	palmetto
pan, el	(25)	bread
pánico, el	(15)	panic
pañuelo, el	(24)	handkerchief
papel, el	(7)	paper
papeleta, la	(23)	slip of paper
paquete, el	(17)	packet
par, el	(26)	pair
parar(se)	(2)	to stop
parchís, el	(24)	parchisi (game)
parecer	(8)	to look like
pared, la	(19)	wall
pareja, la	(42)	pair, couple
parlamento, el	(23)	parliament
párroco, el	(4)	parish priest
parroquia, la	(4)	parish church
parte, la	(30)	part
participar	(18)	to participate
partida, la	(24)	game
partido, el	(23)	match
pasablemente	(25)	passably
pasajero/a	(29)	passenger
pasar	(16)	to pass
pasear(se)	(20)	to walk

pato/a	(20)	duck
patria, la	(10)	mother country, fatherland
paz, la	(30)	peace
pedir	(2)	to ask
película, la	(11)	film
peligro, el	(14)	danger
pelo, el	(4)	hair
pelotón, el	(3)	squad (de ejecución = firing squad)
peluquería, la	(22)	hairdresser's
peluquero/a	(12)	hairdresser
penco, el	(16)	poor horse
penetrar	(3)	to penetrate
penicilina, la	(18)	penicillin
pensar	(1)	to think
pensativo/a	(36)	thoughtful
perder(se)	(13)	to get lost
perdonar	(3)	to forgive
perfección, la	(1)	perfection
perfecto/a	(6)	perfect
periodista, el/la	(2)	journalist
peripecia, la	(35)	adventure
permiso, el	(7)	permit
permitir	(7)	to allow
perro, el	(13)	dog
perseguir	(3)	to pursue
personaje, el	(18)	character
pertenecer	(9)	to belong
pesar	(21)	to weigh
pesca, la	(18)	fishing
pescado, el	(27)	fish
peso, el	(1)	weight
piara, la	(37)	herd
pie, el	(44)	foot
piel, la	(29)	skin
pieza, la	(9)	piece
pinchar	(3)	to pierce
pino, el	(48)	pine
pinza, la	(20)	pincers
pipa, la	(8)	pipe
pisar	(3)	to tread on
platillo volante, el	(2)	flying saucer
plato, el	(27)	plate, dish
plaza, la	(6)	square, place
poblado, el	(15)	town

pobre, el/la	(3)	poor man/woman
pocilga, la	(37)	pig sty
poder	(2)	to be able
poner(se)	(2)	to become
porquería, la	(46)	rubbish
porvenir, el	(1)	future
precio, el	(16)	price
precisamente	(4)	precisely
precisión, la	(45)	precision, accuracy
preferir	(5)	to prefer
pregunta, la	(3)	question
preguntar	(4)	to ask
preocupar(se)	(4)	to worry about
preparación, la	(47)	preparation
presencia, la	(4)	presence
presentar(se)	(20)	to appear
presente	(45)	present
prestar	(17)	to lend
prestigioso/a	(49)	prestigious
previo/a	(22)	prior, previous
previsto/a	(39)	envisaged
primo/a	(47)	cousin
privado/a	(19)	private
probablemente	(12)	probably
probar	(1)	to try
producción, la	(49)	production
profesional, el/la	(6)	professional
profesor/a	(47)	teacher
progreso, el	(18)	progress
prohibir	(26)	to prohibit
pronunciar	(3)	to pronounce
proponer	(18)	to propose
proporcionar	(10)	to provide
propósito, el	(42)	purpose
proseguir	(45)	to pursue
protestar	(5)	to protest
protocolo, el	(28)	protocol
próximo/a	(2)	next
prudentemente	(50)	carefully
prueba, la	(5)	test
pueblerino/a	(39)	small-town, rustic (villager)
pueblo, el	(2)	town/population
puerta, la	(5)	door
puesto, el	(17)	post
punto de vista, el	(18)	point of view

Q

quebrar	(40)	to break
quedar(se)	(1)	to remain, stay
quejar(se)	(44)	to complain
quitar(se)	(10)	to remove

R

rabia, la	(18)	anger
racista, el/la	(13)	racist
raído/a	(12)	shabby, worn
ranura, la	(23)	crack
rápido/a	(2)	fast
raro/a	(27)	strange
rasurado/a	(6)	shaven
rato, el	(5)	moment
razón, la	(18)	reason
razonable	(34)	reasonable
realmente	(47)	really, truly
recepción, la	(28)	reception
rechazar	(30)	to reject
recibir	(1)	to receive
recluta, el/la	(19)	recruit
recoger	(4)	to pick up, collect
recomendable	(4)	recommendable
recompensa, la	(3)	reward
reconocimiento, el	(19)	recognition
reconstrucción, la	(10)	reconstruction
récord, el	(49)	record
recordar	(4)	to remember
recorrer	(15)	to cover, cross
recuento, el	(23)	count
recuerdo, el	(43)	memory
refrescar(se)	(15)	to refresh
refresco, el	(43)	soft drink
refugiar(se)	(50)	to take refuge/shelter
refugio, el	(3)	refuge. shelter
regalar	(12)	to give someone something for free
regalo, el	(38)	gift
regenerar(se)	(40)	to regenerate
región, la	(15)	region
rehusar	(26)	to reject
relación, la	(27)	relationship
reloj, el	(22)	watch

remendar	(32) to remedy	sagrado/a	(32) sacred
renovar	(11) to renew	sala	(9) room
reparo, el	(13) objection, hesitation	salir(se)	(1) to come out, depart
reparto, el	(30) sharing out, distribution	salomónico/a	(12) solomonic
repetir	(15) to repeat	saltar	(2) to jump
replicar	(25) to answer	saludar	(12) to greet
representante, el/la	(23) representative	salvar	(3) to save
resabiado/a	(34) with a bad habit	sargento, el/la	(18) sergeant
reserva, la	(22) reservation	sastre, el	(32) tailor
reservar	(49) to reserve	satisfacción, la	(40) satisfaction
residencia, la	(7) residence	secamente	(38) drily, sharply
resignado/a	(43) resigned	secreto, el	(23) secret
resistente	(16) resistent	seguir	(8) to follow
resolver	(21) to resolve	seguro/a	(9) sure
respectivo/a	(6) respective	seleccionar	(27) to select
responder	(6) to answer	selva, la	(15) jungle
responsable	(38) responsible	semejante	(3) similar
restablecer	(10) to re-establish	sentar(se)	(19) to sit down
restante	(30) remaining	sentencia, la	(12) sentence
resto, el	(30) remainder	sentir(se)	(3) to feel
resuelto/a	(48) resolved	señal, la	(2) signal
resultar	(6) to result	señoría, la	(45) lordship
retirar	(31) to withdraw	señorito/a	(22) young gentleman/lady
retraso, el	(21) delay	separación, la	(5) separation
reunir(se)	(18) to meet	separar(se)	(5) to separate
revelar	(11) to reveal	serie, la	(20) series
revisar	(21) to review	serio/a	(8) serious
revisor/a	(8) ticket collector	servicio, el	(19) service
rezar	(41) to pray	servir	(19) to serve
rico/a	(12) rich	sierra, la	(20) mountain range
ridiculizar	(10) to ridicule	siglo, el	(14) century
ridículo/a	(16) ridicule	silencio, el	(33) silence
riguroso/a	(19) rigorous	silenciosamente	(2) silently
rincón, el	(44) corner	silla de ruedas, la	(41) wheelchair
río, el	(15) river	sillón, el	(42) armchair
robar	(25) to steal	similar	(21) similar
robo, el	(38) robbery	simpático/a	(27) friendly
roca, la	(48) rock	simple	(1) simple
ropa, la	(26) clothes	sinvergüenza	(23) scoundrel, villain
ruido, el	(46) noise	sitio, el	(27) place
		situación, la	(7) situation
		situado/a	(6) situated

S

		sobre, el	(23) envelope
sablazo, el	(17) sponging	socio/a	(49) partner
sacar	(41) to remove	sol, el	(29) sun
sacristán/ana	(5) verger, sacristan	soldado, el/la	(3) soldier

soler	(39)	to usually do something	
solicitante, el/la	(20)	applicant	
solitario/a	(2)	solitary	
sollozar	(34)	to sob	
soltar	(48)	to release, let go	
solución, la	(40)	solution	
someter(se)	(19)	to undergo	
sometido/a	(19)	subject to, undergoing	
sonar	(31)	to sound	
sonreir	(40)	to smile	
sonrisa, la	(17)	smile	
soplar	(24)	to blow	
soportable	(28)	bearable	
sorprendido/a	(25)	surprised	
sorpresa, la	(2)	surpise	
sospechar	(27)	to suspect	
sostener	(29)	to hold	
subir	(2)	to go up	
sucio/a	(37)	dirty	
sudar	(28)	to sweat	
sueldo, el	(31)	salary	
suelo, el	(39)	floor	
suelto/a	(17)	loose	
sueño, el	(21)	dream, sleep	
suerte, la	(26)	luck	
suficiente	(3)	sufficient	
sufrido/a	(41)	suffered	
sugerencia, la	(14)	suggestion	
sugerir	(48)	to suggest	
superar	(5)	to overcome	
suspender	(24)	to suspend	
susurrar	(28)	to whisper	

T

talón, el	(3)	heel
tarjeta, la	(1)	card
té, el	(33)	tea
techo, el	(3)	roof
tela, la	(32)	cloth
tema, el	(18)	subject
temperatura, la	(15)	temperature
tener en cuenta	(26)	to bear in mind, take into account
terminar	(35)	to finish

terreno, el	(4)	land
terrible	(35)	terrible
tertulia, la	(18)	gathering
tesorero/a	(31)	treasurer
testigo, el/la	(4)	witness
texto, el	(1)	text
tiburón, el	(15)	shark
tiempo, el	(11)	time, weather
tienda, la	(5)	shop
timador/a	(30)	swindler
tío/a	(21)	uncle/aunt
típico/a	(33)	typical
tipo, el	(7)	type
tiranía, la	(18)	tyranny
tirar	(4)	to throw
tocar	(38)	to touch
todo/a	(7)	all
tomar	(12)	to take
tomar nota	(27)	to note down
tono, el	(3)	tone
tonto/a	(5)	stupid
toro, el	(18)	bull
torre, la	(44)	tower
toser	(8)	to cough
tostado/a	(29)	tanned
trabajar	(1)	to work
trabajo, el	(7)	work
tradición, la	(28)	tradition
traer	(3)	to bring
trago, el	(36)	mouthful, sip, swig
traje, el	(12)	suit
trampa, la	(37)	trap
tranquilidad, la	(28)	tranquility
tranquilizar	(3)	to calm
tranquilo/a	(8)	calm
transcurrido/a	(20)	after
transformar	(26)	to transform
transportar	(41)	to transport
trasladar	(3)	to transfer
tratante, el/la	(34)	dealer, trader
tratar(se)	(1)	to be about, concern
trato, el	(4)	agreement
tren, el	(1)	train
tribunal, el	(45)	court
tronco, el	(46)	trunk
tropa, la	(3)	troop

trozo, el	(20)	piece
truco, el	(13)	trick
tubo, el	(24)	pipe, tube
tumbado/a	(42)	stretched out, slouching
turista, el/la	(9)	tourist
turno, el	(18)	turn

U

único/a	(6)	only
urgentemente	(15)	urgently
urna, la	(23)	ballot box
usar	(40)	to use

V

vaca, la	(16)	cow
vacaciones, las	(28)	holidays
vaciar	(12)	to empty
vacuna, la	(18)	vaccine
valer	(14)	to be worth
valor, el	(10)	value
vaso, el	(13)	glass
vecino/a	(4)	neighbour
velocidad, la	(47)	speed
vencer	(41)	to conquer
vendedor/a	(7)	seller
vender	(13)	to sell
venir	(2)	to come
ventana, la	(2)	window
verbena, la	(24)	open-air dance
vereda, la	(48)	path, lane

veredicto, el	(45)	verdict
vergüenza, la	(8)	shame
veterano/a	(37)	veteran
veterinario/a	(48)	vet (veterinary surgeon)
vez, la	(2)	time
viajar	(1)	to travel
viaje, el	(6)	trip, journey
viajero/a	(8)	traveller
victoria, la	(10)	victory
vida, la	(3)	life
viejo/a	(12)	old
viento, el	(47)	wind
vigilar	(41)	to watch over
vino, el	(13)	wine
visión, la	(20)	vision
visita, la	(4)	visit
vista, la	(11)	view
vitrina, la	(9)	glass cabinet
viudo/a	(30)	widower/widow
vivir	(4)	to live
voluntario/a	(37)	voluntary
volver	(5)	to return
votación, la	(23)	voting
votar	(23)	to vote
voto, el	(23)	vote
voz, la	(8)	voice
vuelo, el	(43)	flight
vuelta, la	(48)	circuit, lap (to go round)

Z

zapatería, la	(5)	shoeshop
zona, la	(14)	zone, area